BWCI A BEDYDD

BWCI A BEDYDD

HARRI PARRI

GWASG PANTYCELYN

Argraffiad cyntaf Tachwedd 1996

Dymuna'r cyhoeddwyr gydnabod cymorth
Adrannau Cyngor Llyfrau Cymru.

ISBN 1 874786 53 4

Cynlluniwyd y clawr gan Ian Griffith

Cyhoeddwyd ac argraffwyd gan Wasg Pantycelyn, Caernarfon

CYNNWYS

I

GARETH MAELOR

AM I MI BEIDIO Â MYND Â GRAWNWIN DUON IDDO

YN YSTOD EI DYMOR O WAELEDD HIR YN YSBYTY GWYNEDD

AC FEL ARWYDD O'M DIOLCHGARWCH IDDO

AM OES O GWMNÏA

CYDNABOD

Mae fy niolch pennaf, mae'n debyg, i ddarllenwyr a gwrandawyr *Cit-Cat a Gwin Riwbob* – y gyfrol cyntaf yn y gyfres – am eu cefnogaeth a'u canmoliaeth. Bu hynny'n symbyliad i mi ddal ati i ysgrifennu. Ond roedd hanner y clod yn eiddo i John Ogwen a Radio Cymru, a Chwmni Sain yn nes ymlaen, am iddyn nhw droi'r straeon hynny yn dâp ac yn theatr.

Diolch i Radio Cymru am drefnu i ddarlledu y straeon hyn eto ac i Trystan Iorwerth, Uwch-Gynhyrchydd ym Mangor, am olygu a chynhyrchu'r gyfres. John Ogwen, yn ei ffordd unigryw ei hun, a wnaeth y wyrth, unwaith yn rhagor, a daeth yr un bobl, fwy neu lai, i Theatr Seilo i chwerthin rhwng y llinellau.

Fe hoffwn i ddiolch, unwaith eto, i driawd o Gaernarfon am lawer o gymorth – i Mrs. Llinos Lloyd Jones a'r Dr. W. Gwyn Lewis am iddyn nhw fwrw golwg dros y gwaith ac i Ian Griffith am y clawr a'r lluniau. Diolch i'r Cyhoeddwyr, Gwasg Pantycelyn – yn arbennig felly i June Jones, Cyfarwyddwraig, ac R. Maldwyn Thomas, Swyddog Cyhoeddi, am eu brwdfrydedd a'u gofal mawr – ac i Gyngor Llyfrau Cymru am ei gefnogaeth. Oni bai am Nan, fy ngwraig, yn haneru'r baich, fyddai'r gyfrol hon, mwy na'r un arall, byth wedi gweld golau dydd.

HARRI PARRI

Bwci a Bedydd

Camgymeriad Eilir y pnawn hwnnw oedd parcio gyferbyn â siop O'Hara, y Bwci, ar y Stryd Fawr. Pan oedd o'n camu allan o'i gar pwy ddaeth heibio ond Dic Walters, y Person, ac aeth hwnnw ati, yn ôl ei arfer, i geisio styrbio plu'r Gweinidog, a llwyddo.

'Gamblo eto, Eilir Thomas?'

'Be' 'ti'n feddwl?'

'Dy weld ti'n parcio dy gar yn fa'ma. Go brin fod O'Hara wedi dechrau gwerthu'r *Goleuad*? Bydd yn ofalus Eilir, yr hen law, ne' mi eith y betio 'ma i dy waed ti.'

Tynhaodd tsiaen weindio'r Gweinidog yn y fan. 'Yli yma, Walters, 'dach *chi*, bersoniaid, yn llawar llacach ynglŷn â matar gamblo nag ydan ni, weinidogion. Yn ôl be' dw' i'n ddeall, 'dach **chi** yn fwy na pharod i dderbyn arian y Lotri Cenedlaethol i oreuro'ch eglwysi. Paid ti,'ngwas i, â mynd i alw'r sosban yn ddu.'

Torrwyd ar y sgwrs gan sŵn rhywun yn curo ffenestr y siop fetio. Wedi craffu gwelodd Eilir law yn y ffenestr yn amneidio arnyn nhw i ymuno â'r cwmni oddi mewn.

Prysurodd y Person ymaith. 'Mi rydw' i'n 'i throi hi yli,

'c'ofn i mi golli 'ngwenwisg.'

'Ond be' amdana' i?'

''S'gin ti'r un wenwisg i' cholli, nagoes?'

'Ond gwranda, Dic, e'lla ma' isio gair hefo chdi ma' nhw.'

Trodd y Ficer yn ei ôl a halltu mwy ar y briw, ond o hirbell, 'Ac yli, os daru dy stalwyn di ennill yn Cheltenham am ddeng munud i dri tria gofio, 'nei di, am Gronfa Pensiwn yr Eglwys yng Nghymru.'

'Y peth sâl i ti.'

'Hwyl i ti rŵan, yr hen Eil.'

Pan drodd Eilir yn ei ôl, a thaflu cip arall i gyfeiriad ffenestr y siop fetio, roedd y llaw groesawus yn dal i amneidio arno. Y drwg oedd, fod gwydr ffenestr O'Hara yn un y gallai y sawl oedd oddi mewn weld allan ond nad oedd dichon i rywun oedd oddi allan weld pwy oedd i mewn. O wel, os oedd y sawl oedd i mewn yn ddigon iach i amneidio mor egnïol, yna, roedd o'n ddigon iach i gamu allan i'r palmant.

Wedi'r gwahoddiad, pwy gamodd allan o'r siop fetio ond Shamus Mulligan, y tincer, yn ei ddillad tarmacio – bwndel o slipiau betio'n sticio allan o boced ei grys a het felfared yn dar i gyd yn gorffwyso ar ei wegil.

'Mynd am dro 'ti, Bos?'

'Mynd i ymweld.'

'Y?'

'Galw i weld rhai o aelodau'r capal rydw' i.'

'Hel 'u pres nhw, ia Bos?'

'Na, dim ond galw i edrach amdanyn nhw.'

'O! Gweld chdi'n janglo hefo'r Person, ia? Boi giami, Bos.'

'Ia,' mwmiodd Eilir a'r dolur gafodd oddi ar law hwnnw'n dal i redeg.

'Wedi rhoi job tarmacio'r fynwant i . . .'

'Tarmacio'r fynwant?' ymyrrodd y Gweinidog, yn tybio y byddai gwaith o'r fath yn groes i Erthyglau'r Eglwys Esgobol a'i chred yn Atgyfodiad y Meirw – serch pob llacio fu ar yr athrawiaethau'n ddiweddar.

'Tarmacio'r llwybrau, ia.'

'Wela' i.'

'Ti'n gw'bod be', Bos? 'Nath o roi'r job i ryw swindlars o Lerpwl. A Shamus,' gan gyfeirio ato'i hun, 'yn tarmacio am hannar pris. 'Ti am ddŵad i mewn, Bos?' a nodio'i ben i gyfeiriad O'Hara.

'Nagydw',' a swnio'n bendant o anghwrtais.

Tynnodd Shamus y *Racing Post* o boced ei ofarôl. ''Ti ddim isio rhoi ffeifar ar *Snowberry Goose* yn Chepstow?'

'Dim diolch.'

'Ceffyl da, Bos. 'Nillodd o'r *Mullberry Handicap* yn Haydock.'

'Well i mi fynd ymlaen hefo fy ngwaith, dw' i'n meddwl, na dechrau gamblo ar geffylau, ganol pnawn.'

'Fasa fo'n pres cwrw handi i chdi, Bos. Ond chdi sy'n gw'bod, ia?'

Fel roedd Eilir yn hwylio i'w adael trodd Mulligan drwyn y sgwrs i gyfeiriad gwahanol. 'Fasa' ti'n g'neud cymwynas bach i fi, Bos?'

'Dibynnu be' ydi'r gymwynas,' atebodd, yn cofio iddo dramwyo'r ffordd hon o'r blaen a syrthio ymysg lladron.

''Ti'n cofio 'ogan bach fi – Nuala?'

'Ydw'. Fi priododd hi.'

Roedd honno wedi llwyddo i briodi tu allan i'r llwyth, gydag Elvis, mab i Fred Phillips, Plas Coch – Adeiladydd llwyddiannus ac un o gyn-Feiri'r dref.

''Ti'n cofio, Bos?' A daeth gwên fel banana i weflau'r tincer. 'Brawd Elvis, ia, 'di rhoi homar o stîd iddo fo noson stag, nes bod o'n methu swingio'i bawan, a chditha, Bos, yn gorfod rhoi modrwy i Nuala yn 'i le fo. Sgrîm, Bos.'

'Ia,' ac ochneidio wrth gofio.

'Ac Yncl Jo, Ballinaboy, yn agor 'i hopar amsar rong ac yn gwllwng clangar yn capal. Priodas joli, ia.'

''Wna i ddim anghofio y diwrnod hwnnw'n fuan,' cytunodd y Gweinidog ond yn anhapus i gael ei atgofio fel y bu iddo gael ei wneud yn bric pwdin yng ngŵydd pobl lawer. 'A sut mae Nuala?'

'Fath â angal, ia.'

'Ac Elvis?'

'O.K.' a chrychu'i ysgwyddau.

Tynnodd Shamus Mulligan stwmp sigarét a leitar o boced trowsus ei ofarôl a thanio. 'G'randa, Bos, 'fasa' ti'n bedyddio Patrick i fi?'

'Bedyddio pwy?'

''Ogyn bach Nuala.'

''Wela' i.'

'Gynno fo enw fath â trên gwds, Bos.'

'O?'

'Patrick Joseph McLaverty Mulligan Phillips 'di enw fo'n llawn. Ond, del, Bos.'

'Dw' i'n siŵr 'i fod o'n ddigon o ryfeddod.'

'Lot o bobol yn meddwl ma' chdi ydi'i dad o 's'ti.'

'Be'?' A chafodd Eilir fraw gwirioneddol am eiliad.

'Wrth ma' chdi ddaru roi modrwy i Nuala, ia?' a gwenu'i ddireidi drwy ddwyres o ddannedd melynion.

'Ylwch yma, Mistyr Mulligan . . .'

'Galw fi'n Shamus.'

'. . . ddaru chi ddeud wrtha' i, un noson, ar y Morfa, ma'r Tad Finnigan fydda'n bedyddio. Pabyddion ydach chi fel teulu nid Methodistiaid.'

'Ond boi capal 'di Elvis, Bos.'

'Ia?' ac ateb ar ffurf cwestiwn i awgrymu mor annelwig oedd cysylltiad Elvis, fel teulu'r Phillipiaid yn gyffredinol o ran hynny, â Chapel y Cei.

Daeth Shamus Mulligan gam yn nes a siarad beth yn dawelach. 'Fel ti'n gw'bod, Bos, ddaru Elvis saethu heb leisians. A rŵan ma' *Father* yn gwrthod rhoi dŵr ar ben Patrick Joseph.'

Cofiodd y Gweinidog am lwybr ymwared posibl arall a dechrau'i droedio. 'A ph'run bynnag, roeddach chi'n deud wrtha' i fod Yncl Jo o Ballinaboy yn dŵad drosodd i'r Bedydd ac na fasa' hwnnw byth dragwyddol, wedyn, wedi ffiasco'r briodas, yn rhoi blaen 'i droed tu mewn i unrhyw gapal Anghydffurfiol.'

'Yncl Jo'n giami, Bos.'

'O!'

'Gowt.'

'Dw' i'n synnu dim.'

'Ond ma' fo am anfon pres lush yr un fath.'

Gwyddai Eilir mai gwaith ofer fyddai ceisio egluro gwir ystyr y Sacrament o Fedydd i Shamus Mulligan tu allan i O'Hara rhwng dwy ras geffylau, os medru egluro o gwbl. Yn ôl pob sôn, roedd gan yr hen Patrick Mulligan, tad Shamus – a ddaeth o Connemara i Borth yr Aur, ar derfyn yr Ail Ryfel Byd, i werthu pegiau dillad – Ffydd weithredol ond, gyda'r blynyddoedd, wrth i Israeliaid gymysgu gyda Philistiaid, newidiodd arferion y llwyth a llaciodd ei berthynas â'r Eglwys Babyddol.

'Mi rydach chi'n fy ngosod i mewn lle anodd, Shamus.'

Aeth y tincer yn ddagreuol bron, gan ymylu ar dduwioldeb. 'Nuala'n poeni am y peth, Bos. Mae hi 'di mynd yn denau fath â brân ar dywydd calad, ia.'

'Mi alla' i'n hawdd gredu'i bod hi'n pryderu am y peth. Ma' gin i go' 'i bod hi'n ferch grefyddol 'i hysbryd.'

''Ti'n iawn, Bos. E'lla 'sa Nuala fi wedi mynd yn *nun*, 'tasa Elvis heb saethu,' a bu'n rhaid i'r Gweinidog wenu. ''Nei di, Bos, alw i' gweld hi? I fi.'

'Mi alwa' i i ga'l gair hefo Nuala, g'na'. Ond dw' i ddim yn addo mwy na hynny.'

'Diolch yn fawr i ti, Bos. 'Ti'n foi grêt,' ac ysgwyd llaw y Gweinidog mor frwd â phetai hwnnw wedi rhoi ordor iddo i darmacio holl balmentydd Porth yr Aur yn gyfan.

Ond unwaith roedd cytundeb ar y gweill roedd Mulligan yn awyddus ryfeddol i ddychwelyd i siop O'Hara cyn y ras nesa'. Ailgydiodd yn y *Racing Post* a chraffu. 'Yli, 'na i roi *fifty pounds*, yn enw capal chdi, ar *Parson's Nose* yn Wincanton.'

'Hannar munud . . .' ond roedd y tincer wedi diflannu i fwrw'r arian cyn i geffylau Wincanton ddechrau rasio'i gilydd.

O adnabod y Mulliganiaid, petai *Parson's Nose* yn digwydd baglu ar draws ei garnau'i hun mae hi'n fwy na thebyg mai Capel y Cei fyddai'n gorfod sefyll y golled. Ond byddai byw hefo llwyddiant annerbyniol o'r fath yn anos fyth. Sylweddolodd mai symud y car i rywle arall fyddai orau iddo, a hynny cyn i'r ceffylau gychwyn rhedeg.

* * *

Yn nhŷ y Tad Finnigan y byddai gweinidogion ac offeiriaid Porth yr Aur yn cyfarfod ar gyfer eu cylch trafod misol. Trefn y cyfarfyddiad, fel arfer, oedd treulio'r chwarter awr cyntaf mewn defosiwn, yna, awr o drafodaeth uwchben rhyw gyfrol ddiwinyddol neu'i gilydd a therfynu gyda chwpanaid o goffi cryf o fragdy'r Tad Finnigan ac ychydig o siarad siop am broblemau gweinidogaethu mewn oes seciwlar.

Byth wedi iddo yfed *poteen* nerthol y Tad Finnigan yng Ngogerddan, mewn camgymeriad – pan oedd y Musus Frodsham, L.A.C., honno'n annerch ar ran *Ladies Against Contraception* – roedd y Parchedig William Edwards, Gweinidog yr Annibynwyr, yn dod â'i fflasg ei hun i'w ganlyn a Prisila, ei wraig, wedi paratoi'r coffi ymlaen llaw gan sgriwio'r corcyn yn ddirwestol dynn. Anifail gwirion fyddai'n suddo i'r un gors ddwywaith.

Pan gyrhaeddodd Eilir yno, trannoeth ei ymweliad â charafan y Mulliganiaid ar y Morfa Mawr, roedd y rhan fwyaf o'r aelodau wedi cyrraedd o'i flaen a Dic Walters, y Person, yn disgwyl ei ymddangosiad yn eiddgar.

''Ddrwg gin i 'mod i flewyn yn hwyr, ffrindiau.'

'Gamblo eto,' profociodd y Person.

'Ia, Walters. Dw' i newydd roi degpunt bob ffordd ar *Parson's Nose* yn *Carlisle*,' a chofio enw anffodus y ceffyl chwim y cyfeiriodd Shamus Mulligan ato tu allan i O'Hara pwy ddydd.

Llithrodd syndod i wynebau'r cwmni, pob wyneb ond un y Tad Finnigan; roedd hwnnw'n un haul o edmygedd.

'*Parson's Nose* yn geffyl sionc ar y gwastadeddau, Eilir Thomas,' meddai, yn ei Gymraeg gorberffaith, 'ond ei fod o'n llawer arafach dros y clwydi. Ga' i eich cynghori chi, fy mrawd, i astudio'r *Racing Post* mor ddyfal â phosib', rhag ofn i chi syrthio i brofedigaeth.'

'Well i mi ganslo'r *Goleuad* 'ta,' atebodd hwnnw'n chwareus.

'Wel, os ceith y ceffyl wynt o dan 'i ben ôl,' crafodd Walters, drachefn, ''nei di drio cofio am Eglwys Cawrdaf Sant a'i Pherson tlawd?'

Edrychodd Eilir i fyw llygad y Person a brathu, 'Hefo'r syb hwnnw a phres y Lotri Cenedlaethol mi ddylach chi, o leia', fedru trwsio'r to. Ma' hwnnw'n gollwng fel basgiad gynnoch chi er dyddiau'r Dilyw bron.'

'Chwarae teg rŵan,' ac roedd Rheithor Porth yr Aur yn hapusach yn tynnu coes rhywun arall nag yn cael tynnu'i goes ei hun, 'dim ond ers blwyddyn neu ddwy ma'r to wedi bod yn ddiffygiol.'

'A chyda llaw, ma' O'Hara'r Bwci yn anfon 'i gofion atat ti.'

'Un o'r catholigion selocaf ym Mhorth yr Aur,' canmolodd y Tad Finnigan yn y fan ac, yna, ymgroesi. 'Duw gadwo'i enaid gwerthfawr o.'

Edrychodd William Edwards oddi amgylch yn bryderus, heb fedru adnabod y cellwair yn y sgwrsio rhwng cyfeillion, 'Dw' i'n mawr obeithio, Eilir Thomas, nag ydach **chi** ddim yn dechrau rhoi arian ar geffylau. Mae'r capeli, beth bynnag am yr eglwysi,' a thaflu cilwg feirniadol i gyfeiriad y Person, 'wedi bod yn ddigon iach ar fatar hap-chwarae.'

Roedd Eilir ar golli'i limpin pan ddaeth y Tad Finnigan i'r adwy, unwaith yn rhagor, gyda'r diniweidrwydd Gwyddelig hwnnw oedd yn rhoi maddeuant iddo am sawl bai.

Trodd at weddill y cwmni cegrwth, 'Mae yna hen ffrind i Eilir Thomas a minnau,' a phardduo cymeriad Gweinidog

Capel y Cei ymhellach â'r un parddu, 'Jo McLaverty o Ballinaboy yn Connemara, newydd brynu eboles ddwyflwydd yn Iwerddon ac yn bwriadu'i rhedeg hi yn Newmarket ddechrau'r mis nesa'.'

'Dyna dy gyfla mawr di, Eil,' sibrydodd y Person.

'Yn briodol iawn,' ychwanegodd y Tad Finnigan, wedyn, 'mae o wedi'i bedyddio hi'n *Ex Cathedra* – o barch i'r Tad Sanctaidd,' ac ymgroesi unwaith yn rhagor, 'ac mae gen i fawr awydd rhoi holl arian Cronfa y Twymo a'r Golau ar ei chefn hi. Fydda' hynny'n llai blinderus i mi na chynnal y tombola wythnosol, ac yn fwy pleserus.' Cafodd syniad carlamus arall. 'Ffrindiau, beth am i ni ffurfio syndicet a rhoi holl arian y Cyngor Eglwysi lleol ar *Ex Cathedra*?'

Owen Pendergast, Wesle, oedd yr ieuengaf o'r cwmni – bachgen carismataidd ei ysbryd, yn poeni mwy am uniongrededd ei gyd-weinidogion nag am eu moesau – y fo roddodd bwniad i Canon Puw, y Llywydd, oedd oherwydd ei oedran mawr wedi syrthio i gysgu, ac awgrymu iddo'i bod hi'n hwyr glas iddo ddechrau'r cyfarfod.

Pan oedd y cyfarfod ar ben a phawb yn dechrau chwalu, gan adael y Tad Finnigan i olchi'r mygiau, dyma hwnnw'n gweiddi, 'Eilir, fedra' i gael gair bach hefo chi, yn gyfrinachol, cyn eich bod chi'n ymadael?'

'Â chroeso, Jim.'

'Eilir, 'ngwas i,' pwmpiodd y Person, unwaith yn rhagor, wrth gasglu'i gôt, 'paid â rhoi enillion un ceffyl ar gefn ceffyl arall ne' mi fyddi cyn dlotad â ll'godan Eglwys Babyddol!'

'Yn iach i ti, Walters.'

'Rwy'n deall, Eilir,' ebe'r Offeiriad, wedi iddo gael cefn y gweddill, 'eich bod chi wedi bod yn ymweld â theulu'r Mulligans ar y Morfa Mawr?'

'Do, Jim. Fûm i'n gweld Nuala ac Elvis yn y garafan.'

'Ac yn trefnu i fedyddio'r Patrick hwnnw?'

'Ia. Ar gais Nuala, wrth gwrs, er y gwn i ma' Pabyddes ydi

hi.'

Glasodd wyneb lliw porffor y Tad Finnigan gan faint ei gynddaredd, 'Pabyddes **oedd** hi, Eilir Thomas! Fu hi ddim yn yr Eglwys er dydd ei chonffyrmasiwn. Py! hoeden benchwiban.'

'Wel, roeddwn i'n meddwl 'i bod hi'n deall ystyr y Bedydd Cristnogol yn well na'r rhan fwyaf o'r mamau ifanc fydda' i'n 'u cyfarfod a'i bod hi, o leiaf, yn cymryd y Sacrament o ddifri.'

'Hy! teulu'r fall, Eilir Thomas. Mi rydw' i'n amlach yn y llys yn achub eu crwyn nhw nag ydw' i yn yr Offeren Foreol. Serch hynny, fe hoffwn i gymryd rhan yn y gwasanaeth.'

Bu rhagrith y Tad Finnigan yn ddigon i daflu'r Gweinidog oddi ar ei echel am funud. 'Sut?'

'Fe hoffwn i gael rhan yn yr oedfa, fel y byddwch chi, gapelwyr, yn galw'r peth. Os ydi hynny'n hwylus ac mewn trefn.'

'Wel, wrth gwrs, ma' can croeso i chi gymryd rhan yn y gwasanaeth bedydd, fel y g'naethoch chi yn y briodas. Mis i'r Sul nesa' ydi'r dyddiad, yn y bora, am ddeg.'

'Hwylus ddigon i mi, rhwng dwy Offeren.'

'Ond synnu rydw' i, Jim, os maddeuwch chi i mi am ddeud, eich bod chi'n awyddus i ddod yno o gwbl . . . at "deulu'r fall" fel 'dach chi'n 'u galw nhw.'

Roedd rhesymeg y Tad Finnigan cyn gliried â'i ragfarnau a'r un mor gywir. 'I mi, fel Offeiriad yn y wir Eglwys, fydd gwasanaeth o'r fath yn ddim mwy nag achlysur cymdeithasol – megis y tombola wythnosol. Ac, o leiaf, fe all fy mhresenoldeb i fod o help i gadw'r Mulliganiaid felltith rhag mynd dros ben llestri.'

'Mi fydda' i'n falch o'ch cwmni chi, Jim.'

'Diolch i chi.'

'Ac mi adawn ni'r broblem ddiwinyddol i'r Hollalluog.'

'Mawr yw'r dirgelwch, Eilir Thomas. Ie, mawr yw'r dirgelwch.'

Pan oedd Eilir yn camu i mewn i'w gar cydiodd Finnigan

yn ei ail wendid – pedlera jôcs Gwyddelig, heb 'nabod chwaeth ei wrandawyr bob tro.

'Eilir, mae'n rhaid i chi glywed hon.'

'Ia?'

'Wrth feddwl am y Sacrament o Fedydd fe ddaeth yna stori i'm co' i, am y Tad O'Reilly wedi bod ar bererindod i Wlad Canan a Swyddogion y Tollbyrth yn chwilio'i baciau.'

'O.'

'"Y Tad O'Reilly," holodd un o'r Swyddogion, "be' sy' gynnoch chi yn y botel yma?" "Dŵr sanctaidd, Syr," atebodd y Tad, "yn syth o Afon yr Iorddonen." "Felly," meddai'r Swyddog ac yfed peth o'r dŵr. "Ond, y Tad O'Reilly, mae o'n blasu'n union fel wisgi!" "Mair Fendigaid!" ebychodd yr Offeiriad, "dyna be' ydi gwyrth arall".'

Gwenodd Eilir, yn gymedrol, yna, tanio'r car a llithro ymaith.

* * *

Fel roedd Eilir yn dyfal chwilio am le i barcio'i gar tu allan i Gapel y Cei fore'r Bedydd pwy ddaeth allan, yn fwg ac yn dân, ond John Wyn, yr Ysgrifennydd. Roedd faniau a mân loriau'r Mulliganiaid wedi hawlio pob lle parcio hwylus o gwmpas y capel, gan yrru cerbydau'r ffyddloniaid i'r priffyrdd a'r caeau, a'r amrywiaeth peiriannau'n awgrymu fod yno gynulleidfa fwy a gwahanol i arfer; ar drwmbal un lori roedd yna lwyth o darmac cynnes yn mygu o dan darpolen – rhai o'r hogiau, mae'n debyg, wedi oedi i'r Bedydd rhwng dau ddaliad o darmacio – a berfâu a rhawiau yn y loriau eraill. Roedd hyd yn oed *Daimler Double Six*, chwe litr, Alfred Phillips, tad Elvis, taid y babi o un ochr, wedi'i orfodi i barcio ar gytir glas ganllath i ffwrdd.

Cyn bod Eilir wedi llawn ddiffodd y peiriant agorodd John Wyn ddrws y car a hanner-tynnu'r Gweinidog allan o'i sedd. 'Dowch, bendith y tad i chi, cyn i'r dyn Lavatory 'na roi'r lle ar dân.'

'Dyn Lavatory?'
'Wel ia, y Gwyddal hwnnw sy'n gwerthu mawn.'
'O! Mistyr McLaverty.'
'Hwnnw s'gin i mewn meddwl.'
'Be', ydi o yma?'
'Ydi, yn anffodus.'
'Yn rhoi'r lle ar dân ddeutsoch chi?'
'G'leuo canhwyllau mae o, ymhob twll a chornal. Ma' llawr y capal fel wynab cacan pen-blwydd fel ag y ma' hi.'
'Gin i ofn, John Wyn, na fedra' i mo'i ga'l o i ddallt gair dw' i'n ddeud, wrth 'i fod o'n drwm 'i glyw a fy Saesnag innau yn un Cymreig. Mi gofiwch y strach ge's i adag y briodas.'
'Nid byddar dw' i'n gweld yr arab, ond dig'wilydd, a di-wrando ar ben hynny. Traed 'dani,' meddai wedyn, wrth weld y Gweinidog yn oedi i gloi'i gar, 'cyn i'r lle fynd yn wenfflam ulw.'
Dechreuodd y ddau ddringo'r allt i gyfeiriad y capel.
'Ydi'r capal 'rioed yn llawn?' holodd y Gweinidog.
'Fel tun sardîns a rhywun wedi rhoi un 'sgodyn yn ormod yn'o fo.'
'Bobol!'
'A dwn i ddim pan na chodwch chithau 'chydig bach ynghynt ar fora Sul,' ychwanegodd, yn fwy o gingroen nag arfer, 'i chi ga'l munud wrth gefn pan fydd 'na greisis yn codi.'
'Wel, y Tad Finnigan ydi'r unig un fedar ddŵad â McLaverty at 'i goed.'
'Ofn s'gin i ma' hwnnw roth fenthyg y bocs matsus iddo fo yn y lle cynta'.'
Un o amryw wendidau John Wyn oedd rhoi gormod o baent ar y brws, yn enwedig wedi iddo gael ei gynhyrfu, ac roedd hynny'n wir y tro hwn. Roedd llawr Capal y Cei yn anarferol o lawn, mae'n wir, ond roedd y galeri'n gwbl wag o bobl; hyd y gallai Eilir weld, tair cannwyll oedd wedi'u goleuo ond bod y rheini wedi'u gosod mewn mannau simsan ryfeddol – dwy ar y ddau bolyn o bobtu adwyon y Sêt Fawr ac un ar

gaead yr organ.

Eisteddai llwyth y Phillipiaid ar y dde i'r llwybr yn ddistaw, syber – Alf Phillips a'i wraig yn y sedd flaen, tu ôl i'r rhieni Bedydd a'u babi, a gweddill y teulu y tu cefn iddyn nhw, yn ôl trwch gwaed a'r drefn bigo – ond roedd y Mulliganiaid wedi'u corlannu ar y chwith, yn dyrfa fawr liwgar, swnllyd, heb unrhyw batrwm i'r drefn eistedd. Yn wir, roedd mwy na'u hanner nhw ar eu traed, naill ai'n gwastrodi'r plant – ac roedd yna ugeiniau o'r rheini – neu'n ceisio cael sylw rhai o'u cyfeillion ym mhen arall yr adeilad. Safai Shamus Mulligan a'i hogiau tarmacio yn gylch cegrwth o gwmpas y Bwrdd Cymun yn prisio'r Cwpan Bedydd – rhodd anrhydeddus y diweddar Derlwyn Hughes, cyn dyddiau'i godwm, er cof am ei rieni. Pan oedd Eilir yn cerdded i lawr yr ali sylwodd ar Mulligan yn codi'r cwpan rhwng ei ddwylo ac yna'n dal ei ogoniant i fyny i'r golau, yn union fel y gwnâi'i Offeiriad wrth weinyddu Offeren, a phurdeb yr arian yn sgleinio yng ngwawl y canhwyllau.

'Faint 'ti isio am y cwpan 'ma, Bos?' sibrydodd, fel roedd y Gweinidog a John Wyn yn mynd heibio'r Sêt Fawr i gyfeiriad y drws a arweiniai i'r Festri.

'Ma' hwnna, ma' gin i ofn, y tu hwnt i bris.'

Trawodd Shamus wefl y cwpan â'i ewin i glywed yr arian yn canu, '*Solid silver*, ia.'

Erbyn hynny, roedd Jo McLaverty – serch ei bedwar ugeinmlwydd, ei gowt a'i flynyddoedd yn ffosydd oerion rhostiroedd Connemara yn torri mawn – ar ei fol ar risiau'r pulpud, yn ymdrechu'i orau i oleuo'r bedwaredd gannwyll. Penderfynodd Eilir mai anwybyddu'r peth oedd orau iddo a mynd yn syth i'r Festri i chwilio am gymorth y Tad Finnigan ond bu gweld perygl tân yn y pulpud, o bobman, yn ormod i John Wyn; trodd i'r Sêt Fawr a mynd ar ei union at y meicroffon gan gythru i wddf hwnnw fel dyn yn tagu alarch.

'*Will Mister McLavatory refrain, immediately, from lighting candles* !'

Y foment honno roedd y Gwyddel, wedi sawl methiant, newydd lwyddo i danio matsien ond pan glywodd floedd mewn acen Gymreig tybiodd mai'r Hollalluog oedd yn ei alw i gyfri ac yn ei fraw gollyngodd y fatsien i blygion ei wasgod ffansi.

Meri Morris, Llawr Tyddyn, un o'r blaenoresau, a lwyddodd i fygu'r tân a hanner mygu McLaverty yr un pryd. Taflodd flanced damp dros ben yr hen ŵr nes bod honno'n disgyn dros ei 'sgidiau ac yna ei gofleidio i'w mynwes helaeth yn y modd ffyrnicaf posibl, fel arth wedi mynd allan o'i phwyll.

Cerddodd yr Ysgrifennydd i mewn i'r Festri o gyfeiriad y gegin yn cario pwcedaid o ddŵr.

'Tynnwch y flancad oddi amdano fo, Meri Morris, i mi ga'l lluchio p'ceda'd o ddŵr drosto fo.'

'Dŵr?'

'Fydd yn help i ga'l gwarad o'r mwg. Ac yn foddion gras i minnau'r un pryd.'

'Fydd hynny ddim yn angenrheidiol, John Wyn,' eglurodd y Gweinidog. 'Ma'r tân wedi hen ddiffodd erbyn hyn.'

'Mi leciwn i ga'l taflu dŵr am 'i ben o, serch hynny.'

'Well i chi beidio, ne' mi ddifethwch 'i siwt o a stompio llawr y Festri.'

'Biti,' a chychwyn yn ôl am y gegin gyda'r bwced lawn, yn ŵr siomedig ei ysbryd.

Fel roedd McLaverty yn dod allan o un tân aeth ar ei ben i dân arall.

'*Why in the name of God, Jo McLaverty, should you be playing with matches on the Sabbath*?' Roedd wyneb y Tad Finnigan yn domato aeddfed ar fin byrstio. Cododd ei lais yn uwch fyth, '*Surely, you could have cremated yourself, and a few other souls besides.*'

'*But, Father, seeing that we are in the House of God, I must surely light some candles for little Patrick Joseph.*'

'*This is no House of God, Jo McLaverty.*'

'*Is that so, Father?*' ac fel Pabydd uniongred roedd yr hen ŵr yn fodlon derbyn gair y Tad Finnigan am ei holl einioes – hyd yn oed am bethau croes i'w resymeg.

'*Indeed, no. It's a Welsh Chapel. And you, Jo McLaverty, of all people, should know the difference.*'

'*It's the drink, Father. After a rough night I find it hard to distinguish between a cow's backside and a haystack.*'

'*Tut! A good Catholic like yourself, Jo McLaverty, should never blame the hard stuff the good Lord has provided. It's you, yourself, who should be doing penance.*'

'*Indeed, Father,*' ac ymgroesi'i hun rhag gwaeth tân. '*May the Mother of God have mercy on my soul.*'

'*And let me have that box of matches off you, in case you harm yourself once more.*'

'*Surely, Father.*'

Pan oedd McLaverty yn tyrchu ym mhoced ei siaced am y blwch matsus ymwthiodd gwddf potel i olau dydd; o'i gweld, a 'nabod y fintej, llonnodd yr Offeiriad drwyddo, daeth yn ddyn newydd yn y fan ac adfeddiannu'i iawn bwyll. '*A drop of that stuff you have in your pocket, Jo, will surely gladden a heavy heart.*'

'*Indeed, Father, it's to wet little Patrick Joseph's bottom, and it's straight from the wilds of sweet Connemara.*'

'*Jo McLaverty, may the good Lord bless the very earth you tread upon.*'

Wedi codi ymylon ei wenwisg hyd at ei ganol i wthio'r blwch matsus i ryw ddiogelwch, trodd y Tad Finnigan at y Gweinidog a dweud yn ffwrdd â hi, 'Rwy'n credu, Eilir Thomas, y medrwch chi ddechrau'r cyfarfod. Mae gen i Offeren Sanctaidd i'w gweinyddu am unarddeg ac mi fydd fy nghyfaill a minnau am fod yn bresennol yn honno, cyn mynd i'r dathlu. Diolch i chi.'

Fel y llifai'r osgordd o'r Festri i'r Capel clywodd Eilir yr hen ŵr o Ballinaboy a arbedwyd o ddau dân, ac o enau llew rhuadwy, yn canu clodydd yr Offeiriad a fu'n sgwrio'i enaid wrth unrhyw un a oedd yn fodlon gwrando arno, '*There goes a saintly man for you, and there's a man who can surely hold his drink. It's the Gospel truth I'm telling you.*'

Aeth y Gwasanaeth Bedydd yn ei flaen yn hwylus ddigon – y Tad Finnigan yn darllen y Deg Gorchymyn, gan danlinellu'r seithfed a'r wythfed ohonyn nhw – 'Na ladrata' ac 'Na odineba' – ac edrych yn benodol i gyfeiriad y Mulliganiaid yr un pryd, a Nuala yn ateb holiadau'r Gweinidog gyda rhyw gywirdeb hyfryd.

'"A ydych yn addunedu annog y plentyn hwn, Patrick Joseph McLaverty Mulligan Phillips, i ddod yn aelod cyflawn o'r Eglwys, i broffesu ei ffydd yng Nghrist, ac i'w wasanaethu ef yn yr Eglwys ac yn y byd?"'

'Ydw', Bos.' Yna, wedi eiliad o dawelwch annifyr, rhoi'i phenelin at yr ysgwydd yn ystlys Elvis, a safai'n gegrwth wrth ei hochr, i'w atgoffa o'i siâr yntau yn y cyfrifoldeb sanctaidd.

'O.K., ia.'

Pan oedd Eilir yn cario Patrick Joseph yn ei freichiau, ac yn mynd ag o ar y daith arferol amgylch-ogylch y gynulleidfa, prin wên a gaed o du teulu'r Phillipiaid ond roedd llwyth y Mulliganiaid, ar y llaw arall, yn ymddwyn fel rhai yn nhŷ gwledd – camerâu'n fflachio a chlicio, cusanau brwd yn cael eu taflu ar adenydd y gwynt i gyfeiriad y babi, a'r dotio cyffredinol yn codi'n drydar drwy'r holl adeilad.

'"Safed y gynulleidfa!"'

Wedi i deulu Elvis gyfieithu'r gorchymyn â'u 'sgidiau, safodd teulu Nuala ar eu traed i selio'r adduned.

'"A ydych chwi, fel cynulleidfa o bobl Dduw, yn addo gwneud eich rhan ym magwraeth Gristnogol y plentyn hwn, Patrick Joseph McLaverty Mulligan Phillips?"'

'"Ydym".'

Yr unig gwmwl i dywyllu awyrgylch yr oedfa oedd y camddealltwriaeth ynglŷn â'r casgliad. Cychwynnodd y casglyddion o amgylch y gynulleidfa gan ddal i'r dde, yn ôl eu harfer, a derbyn offrwm teulu'r Phillipiaid i ddechrau; ni allai Eilir lai na pheidio â sylwi ar haelioni rhai o'r perthnasau agosaf – agorodd Alfred Phillips waled foldyn a rhoi papur ar y plât a dilynwyd ei esiampl gan amryw eraill. Roedd hi'n amlwg fod teulu Shamus Mulligan wedi camddeall yr amcan, gan gredu mai rhannu i'r anghennus oedd y bwriad. Gyda chil ei lygad, gwelodd y Gweinidog blant y Mulliganiaid yn helpu'u hunain yn helaeth i'r arian rhydd, a rhai'n mynd cyn belled â phasio'r papurau punnoedd i'r mamau a eisteddai tu cefn iddyn nhw. Er na hoffai Eilir darfu ar y Gwasanaeth ar y terfyn fel hyn, bu rhaid iddo godi ar ei draed i geisio egluro pethau'n fwy trwyadl. Ond wrth dderbyn y platiau'n ôl o ddwylo'r casglyddion sylweddolodd yntau nad oes neb, chwedl yr Ysgrythur, mor fyddar â'r sawl na fyn wrando.

* * *

Pan gerddodd Gweinidog Capel y Cei i ogof lladron O'Hara'r Bwci, y pnawn Llun canlynol, aeth y lle mor dawel â phetai hi'n olygfa yn y ffilm *True Grit* a John Wayne ei hun wedi cerdded i mewn i salŵn yn y Gorllewin Gwyllt – serch fod y Parchedig Eilir Thomas dipyn o dan chwe troedfedd.

Roedd Jac Black, y foment honno, yn lledorwedd ar gownter O'Hara yn cyfri'i golledion; yn ei fraw, o weld y cwbl annisgwyl wedi digwydd, ymsythodd i'w bum troedfedd a dwy fodfedd ac anghofio peidio â rhegi, 'Diawl! dyma be' ydi c'loman 'di landio i ganol brain.'

'Sud'dach chi, Jac?'

''Faswn i'n dipyn gwell 'tasa'r ceffyl oedd gin i heb ga'l clymau chwithig. Mi aeth ar 'i liniau, fel y byddwch chithau'n mynd, ddwylath cyn cyrraedd y postyn.'

''Dach chi wedi colli llawar o arian?'

'Gormod o beth cythril. Y cwbl ge's i gin Howarth am g'nebrwng, nid bod hynny rhyw lawar fel y gwyddoch chi, mi rhois i o ar gefn y ceffyl 'ma yn Newcastle ac mi gollis bob ffadan benni.'

'Tewch chithau.'

'S'na neb arall wedi marw?' holodd, yn obeithiol, yn methu â meddwl am unrhyw reswm arall dros ymddangosiad Gweinidog Methodus mewn siop fetio ar bnawn dydd Llun.

Aeth gweddill y cwmni i astudio'u careiau 'sgidiau wrth glywed Jac Black yn cyfeillachu mor ffri â gŵr o Samaria.

'Neb hyd y gwn i, Jac.'

'Maddeuwch i mi am holi, achan. Ma' nhw bron wedi atgyfodi cyn y bydd yr Howarth 'na'n cofio deud wrtha' i.'

Fel roedd ras fawr arall ar gychwyn, daeth O'Hara'i hun trwodd o'r cynteddoedd mewnol ac yn llawen iawn ei ysbryd o weld Gweinidog yn ei barlwr.

'Sud'dach chdi, *Mister* Thomas?' Cymraeg digon tebyg i un Shamus Mulligan oedd un Henry O'Hara – roedd yntau yn ail genhedlaeth o deulu a ymfudodd i Borth yr Aur o'r Ynys Werdd – a châi yntau, fel y Mulliganiaid, gryn drafferth gyda'r 'chi' parchus, Cymreig. 'Neis gweld chdi yn y siop fi, *Mister* Thomas.'

'Galw am yr arian rydw' i, Mistyr O'Hara, os ydi hynny'n hwylus i chi,' a cheisio swnio fel petai o'n hel at y Genhadaeth.

''Ti 'di ca'l llythyr fi 'ta.'

'Do, diolch.'

Derbyn y llythyr a'r slip betio drwy'r post, amser brecwast, fu'r sioc fwyaf i Eilir a'i wraig.

'Cein, 'ti ddim wedi dechrau betio?'

'Bingo, fel y gwyddost ti, ydi fy *forte* i,' profociodd gan ddal ati i dorri pen un o wyau ieir Meri Morris, Llawr Tyddyn, 'hynny, a thombola.'

'Cym sbec ar hwn 'ta,' a phasio slip betio'n groes i'r bwrdd.

Dechreuodd Ceinwen ddarllen y nodyn a'i haeliau yn codi'n uwch gyda phob sill. '"Wincanton, hanner awr wedi tri, *Parson's Nose, ten to one*, pum cant a hanner." Eilir, 'da ni'n nofio mewn arian. Yli, be' 'tasan ni'n ca'l carpad newydd i'r . . .'

'Ceinwen, nid i ni mae'r arian.'

'Chdi gafodd y llythyr.'

'Wn i. Ac mae'r llythyr yn nodi'n ddigon plaen ma' Capal y Cei oedd ym meddwl y ceffyl druan pan oedd o'n rhedag.'

'Isio troi ceffyl fel'na yn gornbiff sy'.'

'Gofyn ma' Henry O'Hara i mi alw hefo fo i gasglu'r enillion a'u trosglwyddo nhw wedyn i goffrau Capal y Cei.'

'Fydd o ddim yn waith hawdd i ti.'

'Na fydd.'

'Ond, pwy ar y ddaear gron . . .?' a chofiodd Ceinwen yr ateb i'w chestiwn ei hun. 'Y Shamus Mulligan 'na sy' tu cefn i hyn. 'Gin i go' amdanat ti'n deud 'i fod o am roi pres ar ryw geffyl neu'i gilydd yn enw'r capal.'

'Chwarae teg i'w galon o.'

'Be'?'

'O ma' ganddo fo galon ddigon cynnas. 'I synnwyr cyffredin o sy'n brin.'

'Yli, pan ei di yno paid ag agor dy big hefo pawb weli di, ne' mi fyddi di a Chapal y Cei yn sbort gwlad unwaith eto.'

'Agora' i mo' 'ngheg hefo neb. 'Ti'n 'nabod i, Ceinwen.'

'Ydw'. Dyna pam 'dw i'n deud.'

'. . . four hundred, five hundred, five hundred and fifty. Dyna chdi, *Mister* Thomas, a chdi dŵad i gweld fi'n buan eto.'

'Diolch.'

Roedd llygaid Jac Black mor annaturiol agored â phetai o'n 'sgodyn yn syth o'r môr ar gownter siop bysgod 'Glywsoch Chi Hon' a'r un mor befriog.

Tynnodd O'Hara'r Bwci waled feichiog o'i boced gesail ac agor y sip, a daeth y daliwr cimychiaid ato'i hun.

'Gwyliwch ga'l annwyd, Thomas.'

'Sut?'

'Ma' walat fel'na'n damp, achan. 'Dydi hi ddim yn ca'l awyr iach yn amal iawn.'

Anwybyddodd O'Hara'r cellwair. '*Mister* Thomas, dyma i

chdi degpunt at te *party* Dolig plant bach Capal Zinc.'

'Rydach chi'n garedig o hael, Mistyr O'Hara. Diolch yn fawr i chi.'

'Fasa' hwnna'n prynu tama'd o gig i mi at ginio Sul,' meddai'r cychwr, 'yn lle 'mod i'n mynd yn imiwnd i duniau sardîns.'

'Isio i chithau, Jac, facio'r ceffylau iawn fel fi sydd. Mi fedrach chi fforddio cinio pum cwrs bob dydd wedyn.'

Gwenodd O'Hara wrth weld cymaint o stîl mewn Gweinidog, ond gwenu'n gymedrol. Wedi'r cwbl, aderyn diarth wedi'i chwythu i mewn o'r ddrycin, unwaith yn y pedwar amser oedd Eilir Thomas; Jac Black, y cwsmer cyson, oedd yn cadw blaidd O'Hara wrth byst y pyrth.

'Galw eto, Mistyr Thomas, *any time* 'te.'

'Pnawn da i chi'ch dau.'

* * *

'Dal ati i fetio yr hen Eil?'

Serch rhybudd Ceinwen iddo gadw'r genhadaeth yn gwbl gyfrinachol, roedd Eilir yn fwy na balch o weld Walters y Person ar y palmant gyferbyn – bron yn yr union fan y cyfarfu'r ddau o'r blaen – oherwydd, y pnawn hwn, teimlai fod yr esgid ganddo ar y droed arall.

Croesodd Eilir y stryd i'w gyfarfod. 'Ydw', Walters, ac wedi bod yn fwy lwcus nag arfar pnawn 'ma.'

Chwarddodd y Person ei anghrediniaeth ond yn llai sicr o'i siwrnai nag arfer. (Roedd Eilir, o leiaf, wedi bod i mewn yn y siop fetio.) 'Tyn y goes arall 'nei di?'

'Dyma'r enillion i ti, mewn arian sychion,' a'u dangos.

'Bobol!' ond yn dal i wrthod credu'n llawn. 'Wedi bod yn hel at rywbath neu'i gilydd rwyt ti, ac wedi troi i mewn i ogo'r hen O'Hara am syb, a hwnnw wedi bod yn fwy na hael.'

Chwipiodd y Gweinidog y slip betio o'r amlen. 'Os na fedri di gredu dy lygaid dy hun darllan hwn 'ta.'

'Wel, ar f'engoch i!' a darllen ymlaen. 'Ac mi fentrist *fifty to one*?'

'Fedrwn i ddim meddwl rhoi llai na hannar canpunt ar gefn *Parson's Nose*,' gan fwynhau dweud yr enw.

'Rhaid i mi gyfadda', Eilir, 'mod i'n edmygu dy blwc di.'

''Dw i ddim am gadw'r arian fy hun chwaith,' eglurodd, heb gysgod gwên, 'er fod gin Ceinwen 'cw ddigon o dyllau ar 'u cyfar nhw. Mi rydw' i am 'u rhoi nhw yn rhodd i Gapal y Cei.'

''Rioed?'

'Yn ddienw felly.'

Aeddfedodd edmygedd y Person i fod yn addoliad bron. 'Chwarae teg i dy galon di, was. Biti na fydda' 'na ragor o rai tebyg i ti ddeuda' i.'

'Well i mi 'i throi hi rŵan, Walters, cyn i'r Banc gau. Cofia fi at bawb.'

'Y . . . hwyl i ti.'

Wedi cerdded i ben y stryd trodd Eilir yn ei ôl. Roedd y Person yn dal i sefyll yno, yn union fel petai o wedi'i gosbi am ei anghrediniaeth a'i droi, fel Gwraig Lot gynt, yn golofn o halen. Y dasg nesa' fyddai argyhoeddi Blaenoriaid Capel y Cei fod manna yn dal i ddisgyn, weithiau, hyd yn oed mewn anialwch.

Tarmacio

'Un sosej bach arall, Mistyr Thomas?'

'Ddim yn siŵr i chi.'

'Twdls?' Y gŵr oedd hwnnw.

'Ddim diolch, Blodyn.'

Noson ym mis Mai oedd hi, ond mor gynnes heulog â phetai hi'n ganol ha' a'r ha' hwnnw yn ei anterth.

Yr amser gorau i'r Gweinidog alw ym Mhlas Coch oedd yn gynnar fin nos, pan fyddai'r teulu ar ginio. Unwaith y byddai'r llestri wedi'u llwytho i'r peiriant byddai drws y tŷ ar glo – Fred yn rhyw glwb neu gyfrinfa neu'i gilydd, os na fyddai'r Cyngor Tref yn cyfarfod, a Freda, naill ai yn y Cwt Chwain – fel y bedyddiwyd hen sinema Porth yr Aur – yn dawnsio'r tango i gyfeiliant *Mantovani* a'i Fand, ar gasét felly, neu'n chwarae bridj yn y Clwb Ceidwadol gyda merched o gyffelyb fryd. Ond rhwng chwech a saith, ddyddiau gwaith, roedd yna wyth siawns allan o ddeg cael y ddau gartref.

''Sgiwsiwch 'mod i fymryn yn *under-dressed*, Mistyr Thomas, ond fedra' i ddim maddau i'r haul.'

'Popeth yn iawn, Musus Phillips,' rhagrithiodd hwnnw yn gelwydd i gyd. Nid maint, neu brinder maint, y bicini deuglwt oedd yn annifyrru'r Gweinidog ond, yn hytrach, ansawdd yr aceri o groen oedd yn y golwg – fel hen falwn wedi colli'i phwff, yn llac ac yn grychau i gyd. I wneud pethau'n waeth, roedd bicini fflamgoch, gwallt wedi'i liwio'n binc a sbectol binc yn cyfarth yn enbyd ar ei gilydd.

'Sut ma' Patrick?'

'Patrick?' holodd Freda, yn annelwig am eiliad. 'O! hogyn bach Elvis ni 'dach chi'n feddwl?'

'Ia, a Nuala.'

'Mae o'n dŵad ymlaen yn iawn 'dw i'n meddwl, er ma' 'chydig iawn fydd Fred a finnau'n weld arno fo. Ynte, Twdls?'

'Ia,' chwythodd hwnnw drwy'i sigâr. ''Lawr ar y Morfa mae o'n mynnu bod hefo'r hen gŵn 'na ac i mewn ac allan o'r carafans.'

'A 'dwn i ar wynab y ddaear,' ochneidiodd hithau, 'pa ddrygau ma'r Taid Mulligan 'na'n ddysgu iddo fo. Heblaw 'i ddysgu o i hela ac i redag milgwns.'

Ciciodd Eilir ei hun am iddo ofyn cwestiwn mor annifyr i'r ddau. Priodas gyfleustra oedd un Elvis a Nuala yn y lle cyntaf ac roedd y Phillipiaid yn dal i deimlo fod eu mab nhw wedi priodi yn is na'i stad. Ond roedd hi'n amlwg fod Elvis wedi cymryd at deulu'r Mulliganiaid fel cath at lefrith ac yn cydfyw yn ddigon hapus gyda'r tinceriaid ar y Morfa Mawr ac yn tarmacio hefo gweddill y llwyth. 'Doedd y busnes tarmacio, chwaith, yn melysu dim ar berthynas y ddau deulu â'i gilydd. Adeiladydd oedd Fred Phillips a tharmaciwr achlysurol ond tarmacio oedd prif ffon fara Shamus Mulligan, serch fod ganddo yntau heyrn eraill yn y tân. Mewn tref fechan fel Porth yr Aur roedd hi'n anorfod fod y ddau gwmni'n cystadlu'n gyson am yr un darn o'r deisen.

'Mistyr Thomas, tropyn bach arall o'r *Asti Spumanti* 'ma, jyst i'ch cario chi i ben ych taith?'

'Sticia' i at ddŵr tap, 'dw i'n meddwl. Yn un peth, ma'r car gin i ar waelod y dreif.'

'Twdls, cariad, be' amdanoch chi?'

A 'doedd dim rhaid gofyn ddwywaith. 'Pasiwch y botal i mi, Blodyn.'

'Barbaciw fydd Fred a finnau'n ga'l, pan fydd hi'n fin nos braf fel heno.'

'Ma'r lle 'ma'n ddigon o ryfeddod gynnoch chi.'

'Wel ydi,' cytunodd y gŵr, o'i gadair glwt ar lan y pwll nofio, a'r cap basbol yn gwarchod ei ben moel rhag niwed yr haul, 'ma'r patio 'ma wedi ychwanegu'n arw at yr ardd gefn, ma'n rhaid cyfadda'. Ydach chi wedi gweld y *sauna*, Mistyr Thomas, a'r *gym* newydd?'

'Do, mi ges i gip ar y selar y tro dwytha' ro'n i heibio.'

'Wel, os byddwch chi'n teimlo fel mynd ati i godi pwysau ma' croeso i chi ar y cyfleusterau s'gynnon ni yma.'

Cododd Freda o'r gadair blastig a'i blaentroedio hi at ymyl y pwll. Cydiodd yn ofalus yng nghanllaw y grisiau a gwthio bawd troed ewingoch i'r dŵr glas a dechrau canu grwndi. 'M! ma'r dŵr 'ma'n lyfli, jyst fel dŵr bath. Fasach chi'n lecio dip bach, Mistyr Thomas, cyn mynd i'r Seiat?'

''Taswn i'n Fedyddiwr, hwyrach y byddwn i'n neidio at y cynnig. Ond dim heno, diolch i chi.'

'Ma' gin Fred drowsus nofio gewch chi fenthyg. 'Does, Twdls?'

'Oes 'n tad, can croeso i chi 'i fenthyg o.'

'Tro nesa' hwyrach, 'tasa hi'n digwydd bod yn braf,' ac roedd hwnnw'n gystal llwybr ymwared â'r un. A pheth arall, wrth sylwi ar fol Fred Phillips yn hongian yn dorchau o fraster afiach dros dop ei drowsus cwta gwyddai Eilir mai temtio rhagluniaeth fyddai neidio i'r dŵr mewn gwisg fenthyg lathenni'n rhy fawr iddo.

'Wel, os g'newch chi fy esgusodi i, Mistyr Thomas, mi rydw' i am bicio i newid. *Old Time* ydi hi ar nos Iau, ac ma' hwnnw'n dechrau am wyth.'

'Mi fydd rhaid i minnau'i heglu hi am y capal 'na cyn pen

chwartar awr. Diolch i chi, Musus Phillips, am ych croeso i mi.'

Wedi i'r wraig ei throedio hi'n dindrwm i gyfeiriad y tŷ i roi rhagor o ddillad amdani cafodd Eilir well cyfle i gael sgwrs â Fred Phillips a dod at wir amcan ei ymweliad â Phlas Coch.

Wedi cinio trwm roedd hwnnw'n fwy ymlaciol nag arfer a'r *Asti Spumanti*, mae'n debyg, yn dylu'i holl bryderon busnes. 'Noson gartra fydd hi i mi heno, Mistyr Thomas, am newid bach – ar wahân i fod un neu ddau o hogiau'r Clwb Rotari'n dŵad yma erbyn naw am gêm o dennis, a rhyw wisgi bach wedyn, cyn iddyn nhw droi am adra'.'

'Mistyr Phillips, fedrach chi roi pris i'r Blaenoriaid am darmacio rownd y capal?'

'Be', reit rownd y capal?'

'Dyna fo, y pwt bach 'na sy'n union o flaen y capal a'r ddau lwybr sy'n arwain at y festri.'

'Fydd yn blesar gin i helpu'r Achos, bob amsar, fel y gwyddoch chi.' Ac roedd hynny'n gelwydd.

'Mi rydan ni wedi bod yn siarad am y bwriad ers pobeidiau ond, erbyn hyn, ma'r Cyfarfod Misol wedi rhoi caniatâd i ni i chwilio am brisiau.'

'Wel, mi yrra' i un o'r hogiau 'ma draw, ddechrau'r wsnos, i fesur y lle. 'Dach chi am i mi roi'r tarmac gorau, mae'n debyg?'

'Wel, tarmac na ddaw dim chwyn drwyddo fo'n fuan iawn.'

Edrychodd Fred Phillips amgylch-ogylch, yn bryderus yr olwg, fel petai ofn i James Bond godi o'r llyn a chlustfeinio ar y sgwrs. ''Sgin i ddim yn erbyn y Shamus Mulligan 'na, Mistyr Thomas – wedi'r cwbl, mae o'n gyd-dad-yng-nghyfraith hefo mi, gwaetha'r modd – ond, coeliwch ne' beidio, mi fydda' i'n rhoi mwy trwch o fenyn ar fy mrechdan na fydd o'n rhoi o darmac ar lwybrau. Ma' chwyn yn blodeuo ar 'i wynab o cyn iddo fo oeri'n iawn.'

'Ac os cawn ni'r amcangyfri, i law gynnoch chi cyn nos Ferchar nesa'.'

'Ar bob cyfri, a diolch i chi fel swyddogion am ofyn i mi.'

'Bei-bei rŵan!'

Safai Freda yn y drws patio a arweiniai allan o'r tŷ i'r ardd gefn, yn barod i gychwyn am y Cwt Chwain – mewn ffrog laes, gyda phensel o fag llaw o dan ei braich. '*Be good*, Blodyn!'

'Gwdbei, Mistyr Thomas. Dowch yn fuan eto, i ni ga'l *swim* bach hefo'n gilydd.'

'Diolch.'

Wedi cael cefn ei wraig, a'r Gweinidog newydd godi ar ei draed, cododd Fred fater digon sensitif i'r wyneb. 'Mi wyddoch, Mistyr Thomas, bod y Cyngor Tre', oherwydd ad-drefnu ffiniau fy Ward i, yn mynd i gynnal lecsiwn arall ddechrau Mehefin.'

'Mi rydw' i wedi clywad, do.'

Stympiodd Fred Phillips weddill y sigâr yn y llestr llwch oedd ar y bwrdd o'i flaen a chodi ar ei draed. Daeth at ymyl y Gweinidog a gwneud osgo gŵr am rannu cyfrinach â chyfaill agos. 'Ma'r cynghorwyr eraill, sy'n gyfeillion da i mi, wedi cytuno i mi ga'l mynd i mewn y tro nesa' 'ma yn ddiwrth'nebiad, wrth y bydd hi'n dro i mi fod yn Faer y Fwrdeisdref, am yr eildro felly.'

''Wela' i.'

'Ga' i ofyn i chi, Mistyr Thomas, 'mlaen llaw fel hyn, i fod yn Gaplan i mi unwaith eto?'

'G'naf, wrth gwrs. Ond, fel y gwyddoch chi'n dda, 'tydi o ddim yn waith sy' wrth fodd 'y nghalon i.'

'Diolch i chi. Y diweddar Derlwyn Hughes – a fu farw o dan amgylchiadau mor anffodus – a finnau, ydi'r unig ddau o hogiau'r dre' sy' wedi ca'l y fraint o fod yn Feiri Porth yr Aur ddwywaith yn olynol.'

''Does 'na ddim peryg', Mistyr Phillips, ych bod chi'n cyfri cywion cyn iddyn nhw ga'l 'u deor?'

Chwarddodd Fred yn uchel hyderus ac edliw i'r Gweinidog ei ddiffyg ffydd yn yr hil ddynol. 'Mistyr Thomas bach, mi rydw' i wedi byw yn ddigon hir yn yr hen dre' 'ma i 'nabod 'i phobol hi fel cefn fy llaw.' Sobrodd, ac ychwanegu, 'Ac mi wn i y byddwch chithau, fel fy Ngweinidog i, yn gweithio o 'mhlaid i – tu ôl i'r llenni fel petai.'

'Wel, well i mi 'i throi hi rŵan.'

'Dyna chi 'ta. Mi fyddwch yn siŵr o weld Freda a finnau yn y Capal o hyn i'r lecsiwn.'

Pan oedd Eilir yn cau'r giât o'i ôl clywodd sŵn fel petai Moses, yn nyddiau'r Hen Destament, newydd hollti'r Môr Coch ond gwyddai mai Twdls oedd wedi plymio o'r sbringfwrdd i'r pwll a bod ei fol wedi cyffwrdd y dŵr o flaen dim arall.

* * *

'Ond be' am faint y trwch?' holodd y Trysorydd, 'fi fydd yn gorfod talu am y job ar ddiwadd y dydd.' Roedd Huw Ambrose bob amser yn rhoi'r argraff i Eilir ei fod o'n talu biliau'r capel o'i boced ei hun ond 'doedd o ddim.

'"*BS 434 Class K1-40 in every respect, Bitumen Emulsion . . .*",' mwmiodd John Wyn, yr Ysgrifennydd, yn cael trafferth mawr i rychu drwy Saesneg technegol ffyrm Plas Coch. ''Tasa Paul wedi sgwennu llythyr fel hyn at y Rhufeiniaid fasa'r un copa walltog ohonyn nhw wedi ca'l 'i achub.'

'Mi 'rydw i yn tybio, Mistyr Wyn,' awgrymodd y Gweinidog yn ofalus – 'doedd Ysgrifennydd Capel y Cei ddim yn ddyn i rywun styrbio'i blu o'n gyhoeddus – 'ma' cyfeirio at y stwff ma' nhw'n rhoi i lawr o dan y tarmac ma' hwn'na.'

'Ond pam na fasa'r llyffant yn deud hynny?' oedd ymateb yr Ysgrifennydd, 'lle 'mod i'n llibindio fy Saesnag yn trïo'i ddarllan o.'

'Ma' hi'n gywilydd i'r Fred Phillips 'na, na fasa' fo'n sgwennu 'i bethau yn yr iaith Gymraeg,' meddai Dyddgu. Roedd hi a'i gŵr yn Bleidwyr selog ac, fel eu plant, yn gefnogol i rai o ymgyrchoedd Cymdeithas yr Iaith. 'Ma' gin i go' amdano fo yn yr Ysgol, er 'i fod o'n hŷn na fi, a'r adag honno prin y medra' fo sgwennu 'i enw, heb sôn am 'neud hynny'n Saesneg.'

'Wel, os byth y byddwch chi am roi'i dŷ o ar dân,' chwythodd John Wyn, yn flin am i'r Gweinidog ei gywiro ac yn rhoi ergyd i sêl wleidyddol Dyddgu'r un pryd, 'mi ddo' i hefo chi, i gario'r tun paraffin.'

'Rŵan, gyfeillion, i ni ga'l mynd yn ôl at y matar sy' o dan sylw. Trwch o dri deg milimedr, dyna faint o darmac ma' Mistyr Phillips yn 'i awgrymu.'

'Sawl litr ddeutsoch chi, Mistar Thomas?' gofynnodd Ifan Jones, y ffarmwr, wedi'i fagu mewn oes wahanol ac wedi cymysgu'n lân rhwng dau fath o fesur.

'Medrau nid litrau, Ifan Jones. Peth sych fydd hwn yn y diwadd, gobeithio – nid peth g'lyb.'

'O! deudwch chi.'

'Wel fasa' hi ddim yn bosib' i ni ga'l gafa'l ar ryw dunnall neu ddwy o lwch chwaral o rwla a chwalu hwnnw hyd y llwybrau 'ma. Fasa' peth felly yn ddigon cadarn, unwaith y basa' fo'n sadio, ac yn dipyn rhatach i ni. Dyna rois i ar y buarth yn Beudy Mawr, flwyddyn neu ddwy cyn riteirio.'

Gwylltiodd Meri Morris, 'Be' sy' ar ych pen chi, Ifan Jones? Fasa' sglyfath felly'n glynu dan draed rhywun ac yn ca'l 'i gario i mewn i'r capal a'r festri. 'Dach chi'n fodlon dŵad yma i hwfro'r carpedi bob yn ail dd'wrnod? A pheth arall, pobol ydan ni – nid bustych!'

Clwyfwyd yr hen ŵr. Tynnodd ei ben i lawr i'w blu, fel mwyalchen ar dywydd gwlyb, a phenderfynu peidio ag agor ei big o hynny i ddiwedd y cyfarfod.

Gwthiodd William Howarth, Ymgymerwr Porth yr Aur, ei big i mewn, 'Ga' i ofyn, drwyddo chi, Mistyr Llywydd, ydi trideg litr . . . y . . . medr,' ac roedd Ifan Jones wedi cymylu meddwl William Howarth yn ogystal â'i feddwl ei hun, 'ydi hynny'n ddigon o drwch?'

''Fydd Howarth 'ma yn mesur cyrff mewn galwyni gyda hyn,' ebychodd John Wyn, yn falch fod yr Ymgymerwr, yntau, yn baglu dros ei eiriau.

'Pam ydach chi'n gofyn hynny, Mistyr Howarth?'

'Wel, mi ddeuda'i wrthach chi, Mistyr Thomas. Pan fydda' i'n powlio dynion a merchaid wedi marw o'r capal i'r festri, i fod yno dros nos, a rheini'n bobol go dewion, leciwn i ddim i 'lwynion y troli fynd dros 'u pennau i darmac. Fasa' hynny'n peryglu f'enw da i.'

''Rhoswch chi,' ebe'r Gweinidog, gan gydio yn y darn papur o law yr Ysgrifennydd, 'm . . . "*average layer thickness*", dyna ma' Mistyr Phillips yn 'i ddeud.'

'Diolch i chi. Mi ddaw pethau'n gliriach i ni, un ac oll, mae'n ddiamau, yn y man.'

Roedd y Blaenoriaid yno'n gryno – pob un ond Owen Gillespie. Roedd hwnnw wedi anfon neges i'r Mans hefo fan gwerthu pysgod Siop Glywsoch Chi Hon yn dweud y byddai cyfarfod gweddi o fwy budd i'r Achos na Phwyllgor Adeiladau. Gillespie oedd y duwiolaf ohonyn nhw i gyd, a'r mwyaf anymarferol.

'Dyna fo 'ta, os ydi pawb yn barod, mi bleidleisiwn ni. Ma' pawb ohonoch chi wedi clywad yr amcangyfri ar ddechrau'r pwyllgor. 'Neith pawb sy' o blaid derbyn cynnig ffyrm Mistyr Phillips, Plas Coch, ddangos hynny yn y ffordd arferol?'

Pan oedd yr aelodau ar godi'u dwylo, rhai o blaid a rhai yn erbyn, agorodd drws y festri a'r foment nesa' daeth clamp o filgi du, gwlyb i mewn ac ysgrytian ei hun nes bod y dŵr oedd ar ei gefn yn tasgu i bob cyfeiriad.

'Ydach chi wedi g'lychu llawar, Musus Morris?' holodd William Howarth, gan mai hwy eu dau a gafodd y gawod drymaf.

'Do! Pwy piau'r mwngral budr?'

Fel ateb i'r cwestiwn, pwy gerddodd i mewn ond Shamus Mulligan, yn ei gôt oel, felen a het felfared ar ei wegil.

Neidiodd y Gweinidog ar ei draed.

'Sorri am torri mewn i lodj chdi, Bos, a chdithau'n prysur.'

'Cyfarfod Blaenoriaid ydi hwn, Mistyr Mulligan – nid lodj.'

'Jyst 'run peth ia.' Edrychodd o gwmpas ar weddill y cwmni a chyffwrdd cantel ei het yn barchus. 'Sut ma' chdi, Ambrose?'

Roedd o'n gyfarwydd â hwnnw gan fod plant y Mulliganiaid ymhlith cwsmeriaid gorau'r Deintydd.

'Sudach chi, Mulligan?'

Ond roedd gweddill y Blaenoriaid wedi cael gormod syndod i wneud fawr mwy na nodio'u pennau.

Tyrchodd Mulligan law fudr i berfeddion ei gesail a thynnu allan amlen frown, yn olion bysedd tarmac i gyd. 'Hwn i chdi, Bos.'

'Diolch i chi, Mistyr Mulligan.'

'Galw fi'n Shamus, ia.'

'Mi 'gora' i o nes ymlaen 'dw i'n meddwl.'

'Cythra'l o glaw, ia.' Gyda chil 'i lygaid sylwodd y tincer ar y milgi du **yn** codi'i goes ar gongl yr organ drydan oedd yng nghongl y festri a gwaeddodd, 'Winston, diawl!'

Cododd dau neu dri o'r Blaenoriaid ar eu traed wedi brawychu.

'Sorri am gweiddi, Bos. Ond o'dd Winston yn mynd i piso am ben pethau capal chdi.'

Gwyddai Eilir mai'r peth diogelaf o ddigon fyddai cael Mulligan allan o'r cynteddoedd cyn gynted â phosibl. 'Rŵan, Mistyr Mulligan, e'lla basa'n well i chi 'i throi hi, rhag ofn iddi fwrw rhagor.'

'Y?'

Ond roedd John Wyn yn llawer llai doeth ei gyngor, 'Ylwch, ewch â'r canibal allan i'r awyr iach, gynta' medrwch chi. 'Tasa'i ddŵr o'n mynd i lectrics yr organ mi alla'r sawl fydd yn 'i chwarae hi nesa' ga'l sioc farwol wrth i' draed o gyffwrdd y pedals.'

Rhoddodd Mulligan un chwibaniad bugail a diflannodd y milgi drwy'r drws hanner agored fel petai yna flaidd wrth ei gynffon o. Cododd Shamus ei het ar y Blaenoriaid a thaflu winc 'ti'n-gw'bod-be-s'gin-i' i gyfeiriad y Gweinidog. 'Ma' Winston a fi isio galw hefo *Father, anyway*.'

Trodd ei gefn at y swyddogaeth a hanner sibrwd wrth ei gyfaill, ''Ti'n gw'bod be' Bos? Ma' Yncl Jo fi 'di gyrru crêt o'r *real thing* iddo fo, yn strêt o Connemara.'

'A sut mae o?' gan wthio Mulligan drwy'r drws yr un pryd.

''Fath â cacwn ia, wrth bod hogiau fi ddim yn mynd i *Mass*.'

'Na, Yncl Jo 'dw i'n feddwl.'

'Giami, Bos. Gowt, ia.'

'Yn naturiol.'

'Ond ma' fo'n dŵad drosodd mis nesa', wrth bod hi'n lecsiwn.'

'Sut?' Ond roedd Winston a Shamus Mulligan wedi diflannu.

Wedi cerdded yn ôl i'w gadair agorodd Eilir yr amlen a thynnu llythyr allan, a hwnnw eto'n frith o datŵau tarmac. Llithrodd ei lygaid i lawr y dudalen, 'Cynnig pris i ni ma' Mistyr Mulligan am darmacio rownd y capal. Ac mae'r cyfan, chwarae teg, mewn rhyw lun o Gymraeg.'

'Cynnig bod ni'n derbyn,' ebe Dyddgu'n frwd, cyn clywed y pris.

'Wel, os ydw i'n dehongli'r llythyr yn gywir, mae Mistyr Mulligan yn cynnig g'neud yr un job yn union am, wel, am lai na hannar y pris.'

Aeth y pwyllgor yn dŵr Babel yn y fan a phawb yn siarad ar draws ei gilydd – amryw am gael gwybod trwch y tarmac.

'Mi ddarllena' i'r manylion i chi fel ag y ma' nhw: "Fi'n rhoi rownd Capal Bos" – y fi ydi hwnnw felly – "chwedeg *milimeter, Bituminous Macadam Waring Course*, i *BS 4987, clause 7.5*", beth bynnag ydi hynny. Ac mae o'n ychwanegu, "Fi boddi lle chdi hefo *sodium chlorate*, i lladd chwyn chdi, cyn dechrau job".'

Plygodd Eilir y llythyr a'i roi'n ôl yn yr amlen. 'Ma'r tarmac ddwywaith y trwch. A 'dydi Mistyr Phillips, cyn bellad ag y gwela' i, ddim wedi sôn gair am chwynladdwr.'

'Cynnig ein bod ni'n derbyn,' meddai Ambrose fel ergyd o wn.

'Cynnig ein bod ni'n gwrthod,' ebe John Wyn, yr un mor bendant.

'Mi rydw' i am lynu at fy nghynnig,' ebe'r Deintydd, wedyn. 'Byd cystadleuol ydi hwn, ac mae'n rhaid i ni dderbyn y pris gorau.'

''Tasa Wil Ffish-ffish, dy dad, wedi sticio at hynny, pan oedd 'y nhad yn gwerthu gwichiad . . .'

'Gyfeillion, ma'n rhaid i ni lynu at y matar a pheidio â chodi hen grachod. Cyn i mi ofyn i chi bleidleisio ga' i awgrymu fod yna ystyriaethau moesol hefyd. Ma' teulu Plas Coch yn aelodau yma yng Nghapal y Cei.'

'Ydyn nhw?' holodd Dyddgu yn ddychanol.

'A fasa' be' ma' nhw'n gyfrannu at y Weinidogaeth ddim yn prynu pacad o hadau bwji i'r Gweinidog,' ychwanegodd y Trysorydd.

Wrth weld ei hoff Weinidog yn mynd i gors mentrodd Ifan Jones agor ei big, unwaith eto, 'Dw' i awydd cynnig, unwaith yn rhagor, ein bod ni'n rhoi dipyn o lwch chwaral rownd y lle.'

Taflodd Meri Morris un cip fygythiol i'w gyfeiriad ac aeth pen yr hen Ifan yn ôl i'r plu yn unionsyth.

'Mi ro' i gynnig ffyrm Plas Coch i fyny i ddechrau. Pawb sy' o blaid?'

'Fydd hi ddim yn hawdd i mi bleidleisio, Mistyr Thomas,' ymyrrodd Howarth.

'O?'

'Wrth 'mod i'n claddu i'r ddau deulu, fel petai.'

Anwybyddodd y Gweinidog y sylw a mynd ymlaen â'r pleidleisio. 'Os g'newch chi i gyd ddangos?'

Meri Morris a John Wyn oedd yr unig ddau i bleidleisio. Wedi'r cwbl, roedd Plas Coch yn gwsmer wyau yn Llawr Dyrnu ers blynyddoedd lawer.

'Pawb sy' o blaid cynnig Mistyr Mulligan i ddangos hynny. Un, dau. Ac mi rydach chi, Mistyr Howarth am ymatal rhag pleidleisio. Be' amdanoch chi, Ifan Jones?'

'O blaid llwch chwaral rydw' i.'

'Dau eto. Mi rydach chi yn fy ngosod i, fel y Cadeirydd, mewn lle anodd iawn.'

Roedd y Blaenoriaid ar flaenau'u seddau, yn mwynhau gweld y Gweinidog yn cerdded rhew mor denau.

'Ond mi rydw' i am roi fy mhleidlais dros gynnig Mistyr Mulligan. Gan obeithio y bydd teulu Plas Coch yn deall.'

'Wel, os na fyddan nhw,' ebe John Wyn yn gingronllyd, 'fydd yn braf medru d'eud ma' pleidlais ein Gw'nidog ni ddaru droi'r fantol yn 'u herbyn nhw.'

* * *

Wrth edrych i lawr o ffenestr ei stydi i gyfeiriad y ffordd fawr gwelodd Eilir *Daimler Double Six* Fred Phillips yn cael ei barcio'n ofalus gyferbyn â'r giât ffrynt a gwyddai na allai, mwy na'r Phariseaid gynt, ffoi "rhag y llid oedd ar ddyfod". I ychwanegu at ei bryderon, sylwodd ar Freda Phillips yn camu allan o'r sedd flaen, ochr y teithiwr, mor surbwchaidd ei golwg â'r Frenhines Fictoria, gynt, ar wyneb hen geiniog.

Roedd ffyrm y Mulliganiaid wedi cwblhau y tarmacio o amgylch y capel ers dros wythnos a Phorth yr Aur, fel pob tref fach o'i bath, wedi bod yn trafod mater y gontract hyd at syrffed – rhai yn fwy na balch o weld gŵr Plas Coch yn cael cam gwag, eraill yn synnu fod Capel y Cei wedi anwybyddu aelodau o'r eglwys a rhoi'r arian ym mhocedi tinceriaid llaw flewog.

Bu'r hogiau yno am ddeuddydd – un diwrnod i baratoi'r gwely a'r llall i roi'r tarmac i lawr – a'u faniau a'u loriau yn tagu pob trafnidiaeth a âi drwy'r dref. Roedd Shamus yno, o fore gwyn tan nos, â'i het ar ei wegil, yn lluchio brws at un a shefl at un arall. Amheuodd y Gweinidog nad oedd y tarmac yr un trwch ym mhobman a mentrodd awgrymu hynny i berchennog y cwmni.

''Ti'n gw'bod fel ma' hi, Bos, ma' llwybrau capal chdi yn *uneven*, ia. Gin ti capal smart, Bos,' ychwanegodd ar yr un gwynt, i geisio troi trwyn y stori i gyfeiriad gwahanol.

'Wel, fydd fy mywyd i ddim gwerth 'i fyw os na fydd y job yn dal dŵr.'

Methodd Shamus â gweld yr idiom a dehongli'r sylw'n llythrennol. 'Fydd o bownd o ddal dŵr i ti, Bos, fath â pen ôl chwadan ia. Os ti dim yn hapus, gwell i ti ga'l gair efo Elvis, achos ma' fo o capal chdi.'

Un pnawn sylwodd Eilir ar gar Fred Phillips wedi'i barcio ar gytir gerllaw a Fred yn gwylio'r gweithgarwch o bellter diogel. Ar y foment, roedd calon Eilir yn gwaedu drosto, yn gwylio'i fab ei hun yn cynnal breichiau'i wrthwynebydd. Petai Fred yn gwybod ei Feibl, ond 'doedd o ddim, gallasai ddweud mai "gelyn dyn fydd tylwyth ei dŷ ei hun".

''Ti'n gw'bod be', Bos?'

'Be'?'

'Wedi i Winston a fi fynd â'r *real thing* i Father ma' fo isio i Shamus tarmacio'r Eglw's.'

'Tarmacio o'i hamgylch hi, mae'n debyg?'

'Jyst rownd y lle, ia. 'Ti'n sgrîm, Bos.'

* * *

Agorodd Eilir y drws ffrynt i'r Phillipiaid a chymryd arno iddo gael sioc bleserus. 'Mistyr a Musus Phillips, dowch i mewn o'r gwynt,' a'u harwain nhw i eistedd yn y parlwr bach. 'Dyma be' ydi pobol ddiarth.'

'Ac mi fyddwn ni'n fwy diarth o hyn allan,' ebe Freda, yn siort.

'O!'

'Mi wyddoch chi pam rydan ni yma, ma'n debyg?' awgrymodd Fred, yn gwthio sigâr foldew rhwng ei weflau ac yn ei thanio heb ofyn caniatâd.

'Mater y lecsiwn?'

'Hy!' a chwythu'i ddiflastod yn gwmwl o fwg llwyd i gyfeiriad nenfwd oedd yn ddigon melyn fel ag yr oedd hi, 'ma'r Etholiad yn y bag gin i. Y tarmacio, frawd.'

'O?'

'Welwch chi yr un ddima' o Blas Coch 'cw eto.'

'Ddim ffadan benni,' ategodd ei wraig. 'Ac i feddwl ych bod

chi wedi bod acw hefo ni mewn barbaciw.'

'Landio ar ddamwain 'nes i.'

'Yn b'yta'n byrgyrs a'n sosejis ni.'

'Finnau'n cynnig 'nhrowsus nofio'n fenthyg i chi.'

'Dyna be' ydi lluchio caredigrwydd yn ôl i wynab rhywun.'

Snapiodd spring y Gweinidog wrth glywed y ddau yn edliw iddo groeso a wthiwyd arno a chododd ar ei draed. 'Mi ellwch chi gadw'ch sosejis a'ch bîff byrgyrs, ond fe aeth contract y tarmacio i'r isa' 'i bris – o ddigon – ac yn unol â rheolau'r Henaduriaeth a thrwy bleidlais gwbl agorad.'

Wedi rhoi rhagor o'i hyd a'i led i'r Gweinidog, lladd rhagor ar Gapel y Cei a golchi y rhan fwyaf o'r Blaenoriaid, cerddodd Freda Phillips yn fân ac yn fuan i gyfeiriad y drws ffrynt, a'r sodlau meinion yn morthwylio digofaint y ddau i lawr pren y cyntedd nes bod eco. Fel roedd hi'n camu allan dros y trothwy trodd ei phen yn ôl a gorchymyn, 'Ac mi fyddwn isio'n cardiau capal cyn gyntad â phosib'.'

'Tocynnau aelodaeth 'dach chi'n 'i feddwl.'

'Ia, rheini.'

'I ble rydach chi am i ni 'u hanfon nhw?'

'I'r Capal Batis, yn deirect, wrth nad oes gin rheini ddim Gw'nidog!'

Wedi dringo'n ôl i'w stydi i wylio'r *Daimler* moethus yn agor ei ffordd yn araf i gyfeiriad y dref – a'r ddau oedd ynddo yn sicr o fod yn felysach eu hysbryd wedi'r catharsis ym mharlwr y Mans – sylweddolodd Eilir iddo roi addewid dyn-mewn-diod iddyn nhw, a hynny'n gwbl anfwriadol; roedd Bethabara, Eglwys y Bedyddwyr ym Mhorth yr Aur, gyda'r culaf ei drysau yn yr holl wlad ac yn gwbl amharod i dderbyn neb ar air yn unig. O! wel, y Bedydd Trochiad amdani felly i deulu Plas Coch. Ond i ddau nofiwr cymdeithasol mor abl â Fred a Freda Phillips fyddai newid cwch ynghanol afon ddim yn dasg amhosibl.

* * *

Anaml, os byth, y byddai Eilir a'i wraig yn cydgerdded y Stryd Fawr ond gan fod Ceinwen wedi gweld siwt drywsus yn ffenestr y *Lingerie Womenswear* ac yn awyddus i gael barn ei gŵr amdani 'doedd gan y Gweinidog fawr o ddewis ond rhoi pnawn i'r frenhines.

Wrth ddod i lawr y grisiau mawr i gyfeiriad yr Harbwr gwelodd y ddau Fred a Freda Phillips yn canfasio ar gyfer Etholiad y Cyngor Tref yn Stryd Balaclafa ac o gwmpas Rhes yr Harbwr a'r drysau'n agor ac yn cau iddyn nhw fesul un ac un. I fynd o'r tu arall heibio, trodd y ddau i'r chwith a cherddded o dan yr hen bont ac i mewn i'r dref heibio Siop Glywsoch Chi Hon.

'Sudach chi'ch dau?'

'Pnawn da, Dora,' a chafodd bwniad gan ei wraig, mewn camgymeriad, 'm . . . Doris.'

'Dora ydw' i.'

'Ma'n ddrwg gin i. 'Dach chi'ch dwy mor debyg.'

'Cowntar pysgod 'dw i, ylwch. 'Chwaer sy'n gwerthu powltri.'

'Wrth gwrs.'

''Dach chi'n brysur?' holodd Ceinwen.

'Fedra' i werthu yr un pennog i neb. Pob cwsmar wedi gwirioni'i ben hefo'r lecsiwn 'ma.'

'Mi welson ni Mistyr Phillips a'i wraig, fel roeddan ni'n croesi'r Harbwr,' ychwanegodd Ceinwen, yn ddiniwed ddigon.

'Fred Balaclafa? Pry wedi codi o ben doman. A fydd o byth yn b'yta'r un 'sgodyn. Ond glywsoch chi pwy sy'n sefyll yn 'i erbyn o?'

'Naddo. Oes 'na rywun?' holodd Eilir, yn hanner balch o glywed hynny wedi'r chwip din gafodd o wythnos ynghynt.

'Well i mi beidio â deud dim 'ta. Pan ydach chi mewn busnas, taw piau hi.'

'Hwyl i chi, Doris . . . y . . . Dora.'

'Musus Thomas, cariad,' gwaeddodd honno ar eu holau,

'anghofis i ddeud, ond ma' yma hadog ffres, digon o ryfeddod.'

'At ddiwadd yr wsnos, Doris . . . m . . . Dora. Diolch i chi.' Ac roedd Ceinwen yn dechrau dal y clwy cymysgu enwau.

'*Vote for me nephew, Shamus Michael O'Flaherty Mulligan*!'

Gan fod botwm y corn siarad wedi'i agor i'r pen safodd y dref yn stond fel petai mellten wedi'i tharo.

Elvis, o bawb, oedd yn dreifio'r lori darmac, Nuala a'r babi yn y canol ac Yncl Jo o Ballinaboy yn y sedd arall a meicroffon hir yn llond ei geg, os nad hanner ffordd i lawr ei gorn gwddw.

Caed bloedd Wyddelig arall, '*A devout Catholic, if ever t'ere was one, and a man who can surely hold his drink! Next T'ursday put your cross for the one you can trust, Shamus Michael O'Flaherty Mulligan*!'

Ar ochr y lori roedd yna lun siriol o Shamus yn ei het felfared a sumbol o groes gyferbyn â'i enw ac yna, o dan y llun, enw'r asiant – "*Joseph Murphy McLaverty of Connemara Peat*".

Safai'r Ymgeisydd yn nhrwmbal y lori ar ben tomen fechan o darmac oer a fflyd o blant, digon budr yr olwg, yn chwarae o gwmpas ei draed a thu cefn iddo – rhai'n pledu graean rhydd at y bobl ac eraill ohonyn nhw'n gwneud arwyddion annymunol ar bleidleiswyr posibl. Yn eistedd ar y domen, yn edrych fel rhyw bibydd hud a'i ffliwt allan o diwn, roedd y Tad Finnigan, yno i wneud yn siŵr fod cysylltiad y Mulliganiaid â'r Ffydd Gatholig yn cael sylw dyladwy.

Pan welodd Shamus Eilir a'i wraig tynnodd yr het felfared oddi ar ei wegil a'i chwifio i'w cyfeiriad ond yr eiliad nesa' gollyngodd Elvis y clytsh, yn siarp braidd, a bu rhaid i Shamus gythru i'r rheilen oedd o'i flaen cyn disgyn ar wastad ei gefn i'r tarmac.

'*Vote for me nephew, Shamus Michael O'Flaherty Mulligan, friend of little children*!'

'Biti na fydda' fo yn deud amball i beth yn Gymraeg,' gwaeddodd Eilir yng nghlust ei wraig.

‘’Drycha!’ a phwyntio at gefn y lori fel roedd honno’n mynd heibio.

Roedd geiriad y placard oedd ar gefn y lori yn un Cymraeg, yn anffodus – **“Chi Pleidleisio i Shamus Michael O’Flaherty Mulligan, Annibynnwr – Tarmaciwr Capal y Cei”**.

‘Cein, ’dw i’n ’i phlannu hi.’

‘Y?’

‘Y feri munud ’ma.’

‘Ond be’ am y siwt ’na?’

‘’Neith honno aros, dan heno. ’Ddown ni i lawr wedi iddi d’wyllu.’

‘E’lla bydd hi wedi ca’l ’i gwerthu. Un gafon nhw, yn ôl Musus Lightfoot.’

‘Ond, Cein, fedra’ i ddim wynebu pobol a’r tincar gwirion ’na wedi rhoi peth fel’na ar gefn y lori.’

‘Reit, Eilir Thomas!’ a throdd Ceinwen ar ei sawdl a chychwyn i gyfeiriad gwahanol, ‘Mi a’ i i brynu’r siwt ’na heb ymgynghori â’r un dyn byw.’

‘Ond be’ ’taswn i ddim yn lecio’r lliw ne’ rwbath?’

‘’Gei di fynd i ganu.’

‘Ond Ceinwen, gwranda.’

‘Ac mi fotia’ i i Fred Phillips hefyd.’

‘Ceinwen!’

Ond roedd Ceinwen wedi diflannu.

Sleifiodd Eilir am y strydoedd cefn yn flin ei ysbryd. Roedd Shamus Mulligan, felltith, nid yn unig wedi torri ar heddwch Capel y Cei ond, bellach, wedi camu rhwng gŵr a’i wraig.

Pan oedd Eilir yn dringo i fyny’r grisiau mawr, a’r lori darmac yn rhoi swae arall amgylch-ogylch y sgwâr clywodd Ballinaboy yn rhoi bloedd a’i trywanodd at y byw, ‘*Vote for Shamus Michael O’Flaherty Mulligan – Tarmacer of Sapel the Sea!*’

* * *

'Wyt ti 'rioed yn mynd i lawr i *Sapel the Sea*?'

Roedd ynganiad Ballinaboy o 'Capel y Cei' yn destun gwamalrwydd rhwng y ddau, erbyn hyn.

'Ydw'. Pam lai?'

Roedd Ceinwen yn cerdded i lawr grisiau'r Mans yn y siwt drywsus newydd, honno yn ei ffitio fel maneg a'r lliw gwyrdd afal yn gweddu i'r dim i liw ei chroen.

''Does gin i ddim co' i mi dy weld ti yn dŵad i wrando canlyniadau etholiad 'rioed o'r blaen.'

'Ma' dechrau i bopeth. Pa geffyl 'nillith 'ti'n meddwl?'

'Amsar a ddengys.'

Bu festri Capel y Cei yn Orsaf Bleidleisio i'r Cyngor Tref ers blynyddoedd meithion a'r arfer oedd cyhoeddi'r canlyniadau oddi ar risiau ffrynt y Capel. John Wyn, y Cofrestrydd lleol, a fu'n gwneud y gwaith hwnnw ers cyn cof, fel ei dad, Wil Gwich, o'i flaen.

Unwaith eto, roedd yna dyrfa fechan wedi ymgasglu o gwmpas porth y capel i ddisgwyl y canlyniad – ychydig o hen drefwyr â ffyniant eu tref enedigol yn agos at eu calonnau, cefnogwyr a theuluoedd y ddau ymgeisydd a nifer o yfwyr oedd wedi llithro allan o'r clybiau a'r tafarndai, rhwng dau beint, yn y gobaith y byddai'r chwarae'n troi'n chwerw cyn diwedd y noson. Pan oedd Ceinwen ac Eilir yn loetran ar gwr y dorf daeth Meri Morris i'w llwybr, yn llwythog ei gofidiau, fel arfer.

'Y llymbar iddo fo.'

'Pwy?' holodd y Gweinidog.

'Y Shamus Mulligan 'na.'

'Pa gamwri mae o wedi wneud rŵan 'ta?'

'Wel, y tarmac hwnnw blastrodd o hyd y llwybrau sy' heb sychu, ne' wedi aildoddi.'

'Rioed?'

Trodd at wraig y Gweinidog i gael cadarnach cydymdeimlad, 'Welsoch chi garped y festri, Ceinwen?'

'Ddim ers ben bora.'

'Ma'r carpad a'r lloriau yn dar i gyd, fel 'tasa 'na stîm rolar wedi bod drwy'r lle.'

'Peth amhosib' i'w godi f'aswn i yn ddeud,' ychwanegodd Ceinwen, yn duo mwy fyth ar y darlun.

'Ydi'r tarmac ddim wedi cledu?' holodd Eilir, yn dechrau sylweddoli difrifoldeb y sefyllfa.

'Ma'r llwybr sy'n mynd heibio ochr y capal fel cors. Ma' rhai o'r bobol dewa' wedi gorfod gada'l 'u sgidiau yn y tarmac a mynd adra'n droednoeth. Mi gostith filoedd i ni fel eglwys mewn iawndal – cyn sôn am gostau cyfreithiol.' Trodd eilwaith i wynebu Ceinwen, ac achwyn o'r ysgol. 'Mi 'nes **i** erfyn ar y Gw'nidog a'r Blaenoriaid i beidio â rhoi gwaith tarmacio i bac o dinceriaid ond fasa' waeth i mi fod wedi canu crwth i fyddar yr un blewyn.'

'Ond y Cyngor sy' wedi gofyn i ni am fenthyg y festri,' apeliodd y Gweinidog.

'A ninnau, swyddogion y capal, ddaru benderfynu ca'l tincar i darmacio'r llwybrau ar drothwy Etholiad.'

Fel roedd y ddadl yn dechrau poethi daeth John Wyn i'r golau, yn bwysig yr olwg, a diflannodd Meri Morris i'r gwyll i rannu'i gofid gyda rhywrai, gobeithio, a fyddai'n fwy parod i wrando arni.

'Annwyl Gydwladwyr ac eraill,' ac roedd dull John Wyn o gyfarch torf hyd yn oed yn mynd dan groen pobl. 'Fel Swyddog Etholiad Cyngor Tref Porth yr Aur a'r Cylch, mae'n bleser gennyf gyhoeddi a ganlyn: Yn yr Etholiad am Sedd ar y Cyngor, yn dilyn ad-drefnu ffin Ward Pen y Morfa ac Ardal yr Harbwr, roedd nifer y pleidleisiau a fwriwyd yn ddwy fil, saith gant a deuddeg gyda hanner cant a dau ohonyn nhw wedi'u difetha. Pobl heb ddysgu sgwennu'n iawn,' ychwanegodd yn flin, o dan ei wynt. 'Felly, mae'r canlyniad fel a ganlyn: Shamus Michael O'Flirty . . .'

'O'Flaherty,' cywirodd amryw.

'Ia siŵr, O'Flirty Mulligan, Annibynnwr, mil, chwe chant a dau ddeg ac wyth.' Roedd y dorf fechan i'w chlywed yn dal ei gwynt. 'Fredrick Gladstone Phillips, Annibynnol, mil, chwe chant, pedwardeg a dau.'

Cododd bloedd o lawenydd o wersyll Plas Coch, fel petai'r Philistiaid wedi ailgadw Arch y Cyfamod, ond roedd Mulligan yn wirioneddol siomedig o fod wedi boddi mor agos i'r lan. Dechreuodd ei asiant, Jo McLaverty, lawenhau gyda'r Philistiaid, wedi camddeall y canlyniad, a chafodd benelin ym mhwll ei stumog gan ei nai, yn dâl am ei annheyrngarwch, a bu'n rhaid ei gario i mewn i'r capel. Safai'r hogiau tarmacio ar gyrion y dorf yn codi'u dyrnau i'r awyr yn fygythiol.

''Sgin i ond gobeithio fod *Daimler* Plas Coch yn ddigon pell o 'ma,' sibrydodd Eilir.

'Gydwladwyr ac eraill, os cawn ni dawelwch i'r Cynghorydd Fredrick Gladstone Phillips, Darpar Faer y dref, gael dweud gair. Diolch i chi.'

Cerddodd Fred at y meicroffon i lyflu'i weflau dros ei fuddugoliaeth ac i ddiolch i hwn ac arall, yn null aelodau seneddol wedi buddugoliaeth. Fodd bynnag, dechreuodd ar nodyn annisgwyl, 'Wyddoch chi be' ydi hwn, frodyr a chwiorydd?' a thynnu parsel papur newydd o'i boced, a'i agor yn seremonïol.

'*Fish an' chips*, ia,' gwaeddodd un o'r Mulliganiaid o gwr y dorf.

'Wel, mi ddangosa' i i chi,' a dal pric tywyll, rhyw dair modfedd o hyd, i'r golau. 'Dyma i chi sawdl esgid dde 'ngwraig i – Darpar Faeres y dre' 'ma – wedi mynd yn sownd yn y tarmac, fel roedd hi ar ei ffordd i bleidleisio i mi, ac wedi torri'n glir i ffwrdd.'

Ailbaciodd Fred y sawdl esgid a gwthio'r parsel yn ôl i'w boced. 'Dyletswydd y Cyngor Tre' a'r Heddlu fydd ymchwilio ymhellach i'r matar ac fel ych Cynghorydd lleol chi mi fydda' i'n barod iawn i dderbyn cwynion eraill, cyffelyb. Fy mhleser i ar hyn o bryd, fodd bynnag, ydi diolch, yn gyntaf, i'r Swyddog Etholiad a'i dîm am y modd effeithiol a chyflym y bu iddyn nhw gyflawni'u gwaith . . .'

Dechreuodd y dyrfa deneuo. Siaradwr anniddorol oedd Fred Phillips ar y gorau.

'Mae hi'n ddyletswydd arna' i, hefyd, i ddiolch i Heddlu Gogledd Cymru am gadw trefn, a gwneud hynny mor effeithiol . . .' A Huw Fflatwadan, y Warden Traffig, oedd yr unig un oedd o gwmpas. 'Yn ogystal . . .' a chyda chil ei lygad gwelodd Fred ei gyfeillion yn cychwyn yn ôl am eu gwahanol ffynhonnau a bu rhaid iddo adael y bregeth bapur am foment. '. . . Gyda llaw, mi fydd yna barti a barbaciw ym Mhlas Coch i chi'r cefnogwyr, i ddechrau am unarddeg . . .' Yna, fe'i promtiwyd gan rywun o'r dorf. '. . . O ia, mae yna banad o de wedi'i pharatoi yn festri Capal Batus i bobol sy'n mynd i'w gwlâu'n gynnar.'

Diflannodd y dyrfa fel petai pla wedi'i difa – rhai i gyfeiriad y Capel Batus i gael paned cyn mynd i glwydo a'r gweddill i roi rhagor o deigr yn y tanc er mwyn cael nerth i gerdded cyn belled â Phlas Coch.

'Ty'd, Eilir.'

'Reit.'

'Ond mae yna **un**, y dylwn i gyfeirio yn arbennig ati hi. Os dowch chi ymlaen, Blodyn, i dderbyn y blodau.'

Fel gwraig Lot yn gadael Sodom methodd Ceinwen â gwrthod y demtasiwn i gael un olwg olaf ar y ddinas cyn ymadael, a bu bron iddi hithau droi'n golofn o halen.

'Eil, 'drycha'!'

'Be'?'

Camodd Freda Phillips o'r gwyll i sefyll ysgwydd yn ysgwydd â'i Thwdls, ac amdani roedd siwt drywsus, lliw gwyrdd afal, yr un toriad yn union â'r un a wisgai Ceinwen, yr *one and only* honno a ddangoswyd i'r byd yn ffenestr y *Lingerie Womenswear*.

Pethau gwahanol oedd yn pwyso ar ysbrydoedd Ceinwen ac Eilir fel roedd y ddau'n dringo, fraich ym mraich, i fyny'r allt i gyfeiriad y Mans wedi hen flino: cyflwr y festri a'r cwynion oedd ar ddyfod oedd yn pwyso ar wynt y Gweinidog ond y

siwt drywsus oedd ar feddwl ei wraig.
'Geith fynd i jymbl sêl y Capal Sinc y cyfla cynta' posib'.'
'Chdithau wedi talu drwy dy drwyn amdani.'
'Fedra' i ddim gwisgo'r un peth â gwraig y Maer, mewn hancas bocad o dre' fel Porth yr Aur 'ma.'
'Pam?'
'Fydd pobol ddiarth yn meddwl ein bod ni'n efeilliaid.'
'Ond bod gin un o'r ddwy wallt pinc!'
'A phawb arall yn meddwl ein bod ni'n ffyliaid.'
'Ceinwen, hel dy hun at 'i gilydd.'
'Hawdd iawn y medri di siarad.'
'Ond gwranda', Cein. Fydd ych llwybrau chi'ch dwy byth yn croesi.'
''Ti'n meddwl hynny?' ac yn sirioli peth.
Aeth yr awydd i dynnu coes yn drech nag Eilir, serch ei fod o'n gweld ei hun mewn congl gyfyng, 'Os nag wyt ti, Cein, am ddechrau mynd i'r Capal Batus.'
Safodd ei wraig yn stond a thalu'r pwyth yn ôl iddo yn y fan, 'Wel, i fan'no y byddwn ni i gyd yn mynd, os na sychith tarmac Shamus Mulligan!'

Yr Ysbrydegwr

'Dyna'r cyfan am heno 'dw i'n meddwl,' a chau'r ffeil. 'Ond cyn terfynu'r cyfarfod, ga' i, yn enw fy mhriod, Capten Webster, a minnau, eich gwahodd chi'n gynnes iawn i Gogerddan 'cw, ar yr ail nos Wenar o'r mis nesa', i gyfarfod â'r Pastor Wilbert – sylfaenydd ac arweinydd Eglwys y Gorwel Pell – ac i gael ein harwain ganddo fo, os bydd yr Ysbryd yn caniatáu hynny, i gwrdd â rhai o'n hanwyliaid sy' wedi croesi. Mi fydd y cyfarfod ffurfiol yn dechrau am saith ond mi fydd yna groeso i bawb sy' am gael gair hefo fo'n breifat ddod acw o chwech ymlaen a chael cwpana'd o goffi yn 'i gwmni o.'

John Wyn, cynrychiolydd Capel y Cei ar Gyngor Eglwysi'r dre' a gelyn i bob newid, ofynnodd 'Pwy ydi'r dyn yma, a be' ydi'r brand newydd o grefydd 'ma mae o'n 'i hwrjio?'

'Ma' 'i gartra' fo, ar hyn o bryd, yn Stoke-on-Trent ond Cymro glân ydi o, fel chithau.'

'Felly!'

Cododd William Edwards, Gweinidog yr Annibynwyr, ar ei draed, 'Mi rydw' i'n credu y dylan ni i gyd gefnogi'n chwaer a phresenoli'n hunain yn y gwasanaeth. Ma'r Beibl yn ein cymell ni i brofi pob peth.'

Roedd William Edwards, fel rheol, yn casáu pob awel ffres, ond gan fod gwraig Gogerddan yn rhoi mwy o jam ar ei fara na'r un aelod arall roedd hi'n ofynnol iddo ganu pennill mwyn iddi, wel, yn gyhoeddus o leia, 'Pwy ŵyr nad y Wilfred hwn fydd ein hiechydwriaeth ni fel eglwysi?'

'Wilbert,' cywirodd amryw.

'Y?'

'Pastor Wilbert 'di enw fo.'

'Dyna fo. 'Sgin i ddim co' i mi glywad am 'i enw fo o'r blaen.'

'Wel William, 'nghariad i.' 'Doedd neb arall ym Mhorth yr Aur i gyd yn arfer y fath hyfdra wrth gyfarch Gweinidogion â Llinos Webster, 'ma'n syn gen i na fyddach chi wedi clywad am y Pastor Wilbert. Ma' 'i enw a'i lun o wedi bod mewn sawl papur newydd.'

''Dydi rheini'n cyhoeddi pob sothach,' cyfarthodd John Wyn wedyn, yn gingroen, fel arfer. Aeth Ysgrifenyddes y Cyngor ymlaen â'i sylwadau heb ganiatáu i wynt croes o'r fath styrbio dim ar ei phlu. 'Roedd Pastor Wilbert, unwaith, yn aelod o Eglwys yr Ysbrydegwyr ond, wedi rhai profiadau dwfn ym myd y para-normal, mae o, bellach, wedi sefydlu ei gangen ei hun o'r Achos, sef Eglwys y Gorwel Pell, neu yn Saesnag – *The Distant Horizon Church*.'

O glywed am rwygo pellach ar Eglwys a oedd eisoes yn rhanedig dechreuodd amryw besychu'u gwrthwynebiad a cheisiodd Dic Walters, y Person, godi pont. 'Ga' i, trwyddo chi, Mistyr Llywydd, ofyn cwestiwn?'

Ond roedd y Llywydd, y Canon Puw, wedi syrthio i gysgu ers tro. Yn hen ŵr tenau, dros ddwy lath o daldra a thros ei bedwar ugain, plygai ymlaen dros y Llyfr Cofnodion, fel blodyn tal ar dywydd llaith, a thropyn gloyw o'r annwyd pen parhaol hwnnw yn hongian yn ansicr oddi ar flaen ei drwyn.

Penderfynodd y Person beidio â styrbio mwy ar y Canon rhag ofn i'r defnyn ddisgyn cyn pryd ac aeth ati i ofyn ei gwestiwn, caniatâd neu beidio, 'Oes rhywun o'r plwyfolion, heblaw Llinos, yn gyfarwydd â'r mudiad newydd 'ma? Fedrwn ni ddim prynu cath mewn cwd,' a thaflu cip direidus i gyfeiriad Eilir oedd newydd fynd â chath **Anglesea View** i'r môr mewn sach plastig. 'Teimlo rydw' i y dylem ni ga'l tystiolaeth fwy uniongyrchol am y dyn, cyn i ni addo rhoi'n cefnogaeth i'r noson.' Ond gwyddai Walters, fel Gweinidog yr Annibynwyr, pa ochr i'r dafell roedd y jam. Roedd Capten Webster yn Gymunwr y Pasg yn Eglwys Cawrdaf Sant a'i siec at Gronfa'r To cyn drymed â'r un a roddai, yn enw'i wraig, at Gapel Carmel. Brysiodd i ychwanegu, 'Er y gwyddom ni i gyd fel ma' Llinos a'i phriod,' a gwenu'n annwyl arni, 'wedi agor eu cartra' ar hyd y blynyddoedd, i achosion da.'

Bu eiliad o ddistawrwydd a phawb yn edrych ar ei gilydd. Ailagorodd Llinos Webster y ffeil a chwipio darn o bapur allan; cydiodd mewn sbectol flodeuog oedd yn hongian wrth incl am ei gwddw a'i sodro ar ei thrwyn. 'Ga' i egluro ma' Musus Dwynwen Lightfoot, *The Lingerie Womenswear*, fu mewn cysylltiad â'r gŵr hwn i ddechrau. Ma' hi'n dderbynnydd cyson o'r *Transparency Monthly*, cylchgrawn y mudiad, ac yn ymddiddori'n fawr yn y byd seicic.'

Bu clywed hynny'n ormod i John Wyn ac aeth ati i godi crachen oedd wedi hanner gwella. 'Wel os ydi honno wedi bod yn hel 'i bachau yn'o fo mae o wedi colli'i enw da cyn gada'l y wlad bell 'na. 'Dan ni i gyd yn cofio fel y bu i'r diweddar Derlwyn Hughes, o barchus goffadwriaeth, farw yng ngwely . . .'

Bu'n rhaid i Eilir roi'i fraich ar lawes John Wyn a'i atal ar ganol brawddeg rhag ofn iddo fynd yn athrodus.

Aeth Ysgrifennydd y Cyngor Eglwysi ymlaen â'i sylwadau. 'Ma'n dda gin i ddeud fod un o aelodau mwya' cefnogol Capel y Cei eisoes mewn cysylltiad personol â'r Pastor Wilbert ac wedi ca'l profiadau anarferol iawn yn 'i gwmni o, ac ar 'i chais hi, yn benna', ma'r Capten a minnau yn trefnu *séance* yng Ngogerddan 'cw y mis nesa'. Cyfeirio rydw' i, wrth gwrs, at Musus Daisy Derlwyn Hughes, Fron Dirion.'

Aeth chwa o syndod drwy'r gynulleidfa wedi iddyn nhw glywed yr enw.

Bu'r gair *séance* yn ddigon i ddeffro'r gwrth-Brotestant yn y Tad Finnigan a ffyrnigo'i ysbryd. 'Meistr Llywydd,' apeliodd, ond roedd pen y Canon wedi crymu'n is fyth ac yntau, erbyn hyn, mewn dyfnach cwsg. 'Meistr Llywydd, rhyfyg ydi ymhél â'r ocwlt.' Roedd ei ddull o glipio'r cytseiniaid ag acen Wyddelig fel pe'n rhoi mwy o fin i'w eiriau. 'Mae'r Eglwys Gatholig a'r Tad Sanctaidd wedi datgan y cyfryw, fwy nag unwaith, *ex cathedra*. A pheth arall,' taranodd, 'mae'r holl sicrwydd angenrheidiol i'w gael eisoes, drwy i ni gyfranogi'n ddyddiol o'r Offeren Sanctaidd a ordeiniwyd er ein hiechydwriaeth.' Eisteddodd yn ôl yn ei gadair ac yna, ymgroesi.

Wedi taranfollt y Tad Finnigan aeth y drafodaeth ar chwâl am gyfnod. Yn annisgwyl, pwy gododd ar ei draed ond yr hen Ifan Jones, ail gynrychiolydd Capel y Cei ar y Cyngor a'r glanaf a'r caredicaf ei galon o'r holl gwmni.

''Na i ddim cyfarch y Llywydd, rhag ofn i mi ddrysu'i gwsg o.' Chwarddodd amryw. 'Ond ma'ch clywad chi, Musus Webstar, yn sôn am yr anwyliaid sy' wedi'n rhagflaenu ni wedi codi hiraeth garw arna' i am Laura'r wraig 'cw, pan oedd hi. Fel y gŵyr rhai ohonoch chi, mi aeth fel diffodd cannwyll pan o'n i wedi picio allan i gau ar yr ieir. Ac ma' 'na gymaint o bethau hoffwn i ofyn iddi hi, 'tasa hynny'n bosib'. Yn un peth, 'does gin i'r un syniad lle ma' hi wedi rhoi copi o'r 'wyllys. Ma'r mab a'r ferch 'cw, a finnau, wedi troi'r lle â'i din am 'i ben ond 'tydan ni ddim trwch blewyn yn nes i'r lan. E'lla basa'r dyn diarth 'ma yn medru taflu golau i mi ar beth felly.'

'Py!' chwyrnodd y Tad Finnigan o dan ei wynt, 'paganiaeth ronc.'

Clwyfwyd yr hen ŵr yn ei ddolur ac ymatebodd yn finiocach na'i arfer, 'Hawdd iawn y medar y Pab 'ma siarad,' a rhoi rheng bigo uwch nag a haeddai i'r Offeiriad, 'ŵyr o ddim byd be' 'di colli gwraig. Finnau wedi cydfyw hefo Laura 'cw am ddeugain mlynedd a honno ofn i'r gwynt chwythu arna' i.'

Dic Walters, y Person, gyda'i ryfyg direidus oedd y gorau o neb am godi pwyllgor o dwll. 'Cynnig fod fy nghyfaill, y Parch. Eilir Thomas,' meddai'n ddrygionus, heb wên, 'yn galw hefo Musus Hughes i'w holi hi am 'i phrofiadau.'

'Y fi? Ond 'dwn i ddim mo'r lleia' peth am yr ocwlt a'r paranormal.'

'Ma'r Methodistiaid, fel y gwyddom ni i gyd, yn arfar â chynnal seiat brofiad. Ac os bydd **o** yn ca'l 'i fodloni yn Musus Hughes ac yn nilysrwydd 'i phrofiad hi, yna, ein bod ni i gyd yn cefnogi'r noson yng Ngogerddan.'

'Cweit ac yn hollol,' ebe William Edwards yn glochydd i'r Person am unwaith. 'Mi fydd 'i air **o** yn ddigon.'

'Eilio!' gwaeddodd amryw, wedi blino ar y trafod ac yn awyddus i weld y cyfarfod yn dod i ben.

'Doedd Stafell Wisgo'r Côr yng nghefn Eglwys Cawrdaf Sant mo'r lle difyrraf i gynnal pwyllgor. Roedd hyd yn oed gwres yr ychydig bobl oedd yno yn tynnu'r tamprwydd o'r plastr a hithau'n ganol ha', a rhedai hwnnw'n afonydd o leithder i lawr y muriau hen. 'Diolch i chi,' meddai Musus Webster. 'Chawn ni neb gwell i'n harwain ni yn y matar na Gweinidog Capal y Cei. Eilir, 'nghariad i, mi wn i na 'newch chi ddim siomi disgwyliadau'r brawd Ifan Jones.'

'Ond be' yn y byd mawr wn i am Ysbrydegaeth? Dim yntôl.'

'Mantais ydi hynny, 'nghariad i. Mi fyddwch chi felly yn mynd yno â meddwl agored ac, o'r herwydd, mewn gwell safle i farnu.' Trodd i'r dde a wynebu'r Llywydd. 'Canon Puw, cariad!' a rhoi pwniad iddo, '*Wakey, wakey*!' A dyna'r pryd y disgynnodd y defnyn hirymarhous, gan fedyddio'r Llyfr Cofnodion.

* * *

Wedi curo ddwywaith a heb gael ateb, safodd y Gweinidog ar y trothwy a throi'n ôl i edmygu'r olygfa oedd oddi tano. Roedd hi'n ganol ha' a'r Harbwr yn un sbloet o hwyliau cychod lliwgar, rhai'n morio allan i gyfeiriad Craig y Gigfran ac Ynys Meudwy a fflyd arall yn dychwelyd o dros y gorwel. Oedd, mi roedd Fron Dirion yn dŷ wedi'i godi mewn man dethol, ar godiad tir uwchben y môr ac yn tynnu'r haul ato o bob cyfeiriad. Fe'i hadeiladwyd pan oedd y diweddar Derlwyn Hughes yn ei flodau – yn gyfreithiwr llwyddiannus ym Mhorth yr Aur â'i fys mewn brywesau lawer, yn ŵr derbyniol mewn byd ac Eglwys. Ei unig gamgymeriad oedd marw mewn gwely arall, beth bynnag am wely diarth.

Roedd Eilir yno yn enw Cyngor Eglwysi'r dre', a cheryddon Ceinwen yn dal i ganu yn ei glustiau.

'Fel'na wyt ti, Eilir, yn mynd yn gadach llawr i bawb.'

'Be' 'ti'n 'i feddwl?'

'Yn gada'l i'r llyffant Person 'na 'neud bwch dihangol ohonat ti a chadw'i groen 'i hun yn iach – fel arfar.'

'Ond mynd yno ar gais Llinos Webster 'dw i,' plediodd.

''Tasa Llinos Webster yn deud wrtha' ti am luchio dy hun i'r môr fasat ti'n g'neud hynny?'

'Baswn . . . m . . . na faswn.'

'Ffŵl wyt ti, Eilir Thomas,' ac ysgwyd ei phen.

'Felly!' a hanner llyncu mul.

'Ac unwaith yr ei di i fyny i'r Fron Dirion 'na dyna hi'n *fait accompli*. Eilir, welis i neb fel chdi am roi dy ben yng ngheg llew, a gofyn i hwnnw 'i chau hi wedyn.'

Pan oedd Eilir yn estyn ei ddwrn allan i guro'r drws am y drydedd waith fe'i lluchiwyd yn agored. Ond chwaer Daisy oedd yno, Meri Morris, Llawr Tyddyn.

'Daisy'n meddwl ma'r dyn 'llnau ffenestri oedd wedi cyrraedd.'

'Hwyrach y bydda' hynny yn haws gwaith i mi. Sut ma' Musus Hughes?'

'Rêl heffar.' Gwraig ffarm blaen ei geiriau oedd Meri a blaenores werthfawr iawn yng Nghapel y Cei. 'Dowch i mewn, 'mwyn tad, o glyw pobol.'

Arweiniwyd y Gweinidog drwy'r stafell wydr oedd ar bared ffrynt y tŷ ac i'r cyntedd. Safodd Meri Morris am foment a hanner sibrwd, 'Triwch, bendith y tad i chi, ga'l 'i phen hi o'r cymylau. 'Dydi'i thraed hi ddim wedi cyffwrdd y ddaear ers dros bythefnos.'

'Be' sy' wedi'i chynhyrfu hi?'

'Wel y swindlar 'na o Stoke-on-Trent. Ond mi welwch chi be' s'gin i 'dan glust 'y nghap unwaith yr a'i â chi i'w gwyddfod hi.'

'Cyngor Eglwysi'r dre' sy' wedi fy ngorfodi i i ddŵad yma,' eglurodd, yn hanner ymddiheurol.

'Wn i hynny. Fel'na ydach chi, yn rhedeg hwi-rhed i bawb a ddim blewyn uwch ych parch yn y diwadd.'

'Mi fydda' Ceinwen yn cytuno hefo chi, gant y cant.'

'Fydda' i'n gweld ych gwraig chi, beth bynnag, yn ddynas gall.'

Cychwynnwyd eilwaith. Cyn agor drws y lolfa safodd Meri Morris, unwaith yn rhagor, a sibrwd siarad yn is fyth, 'Ofn yn 'y nghroen s'gin i iddi fynd i ori allan, yn 'i hoed hi. Alla' fod yn ddigon amdani hi. Dowch, awn ni i mewn. . . . Daisy! Ma' gin ti ymwelydd.'

'A Mistyr Thomas, fy ngweinidog annwyl i, wedi cyrraedd,' ac esgus ymdrechu i godi o'r soffa ledr, isel yr eisteddai arni.

'Peidiwch â chodi, Musus Hughes,' a phlygodd Eilir ymlaen gyda'r bwriad o ysgwyd llaw hefo hi; cafodd gusan hir llawn persawr ar gefn ei figyrnau yn dâl am ei gwrteisi.

''Steddwch yn fa'ma, yn fy ymyl i, siwgr,' gan bwyntio â llaw fodrwyog at bantle wrth ei chlun, 'i ni'n dau ga'l sgwrs fach.'

Eisteddodd Meri, hithau, ar gadair gefn-uchel, ychydig o'r neilltu, yn barod i luchio glo ar y tân os byddai'r Gweinidog yn rhy feddal neu'n bygwth troi yn ei garn.

O ran pryd a gwedd roedd y chwiorydd yn ddigon tebyg i'w gilydd – dwy bowlten gron, yr un hyd a'r un lled – ond fod Daisy wedi lliwio a phowdro'r fersiwn a gafodd hi gan yr Hollalluog nes lleihau'r tebygrwydd. O ran natur cymeriad roedd y ddwy mor wahanol â'u henwau – Meri'n ddynes dŵr a sebon – dŵr oer os yn bosibl – a diwrnod caled o waith ffarm, a Daisy, ar y llaw arall, yn ddynes **Chanél** ac yn gysurus ddiog.

'A sut ma'r wraig fach ddigon o ryfeddod 'na s'gynnoch chi, Mistyr Thomas?'

'Ma' Ceinwen yn dda iawn, diolch i chi.'

Gyda chil ei lygad sylwodd Eilir ar lun mewn ffrâm ar ben y set deledu – seren o ddyn canol oed, seimllyd yr olwg, gyda gwallt du, a phensel o fwstas du dan ei drwyn.

''Dydi o'n ddigon o sioe, Mistyr Thomas bach?'

'M . . . pwy, deudwch?'

'Wel y fo,' gan estyn ei braich i'r cyfeiriad. 'Dyna i chi Pastor Wilbert. Y fo, Mistyr Thomas bach, sy' wedi dŵad â fi o dywyllwch i oleuni. Y fo sy' wedi rhoi i mi obaith newydd. Y fo . . .'

'Ma' dy bais di yn y golwg,' meddai'i chwaer yn siort, er mwyn iddi ddisgyn o gefn ei cheffyl.

Roedd hynny'n wir, erbyn i Eilir sylwi.

'Sgiwsiwch fi, Mistyr Thomas,' a thrio cuddio cluniau mawrion hen ddafad â chnu oen.

'Ydi'r Pastor Wilbert wedi bod yma?' holodd y Gweinidog, i geisio cuddio'i annifyrrwch.

'Fi fuo yno hefo fo.'

'Yn Stoke-on-Trent?'

'Ar y cyrion 'te. Gynno fo bictiwr o blasty helaeth o'r enw *New Horizon*.' Llusgodd ei hun yn nes eto at wynt y Gweinidog, 'Mistyr Thomas, siwgr, ga' i agor 'y nghalon i chi?'

'Cewch.'

'Wel, wedi i mi gyrraedd yno a deud stori 'mywyd wrtho fo . . .'

'Fel roeddat ti wiriona',' brathodd y chwaer.

'. . . a maint fy hiraeth i am fy annwyl Der . . .'

'Fynta' wedi cicio'r bwcad lle g'nath o.'

'. . . dyma fo'n cydio yn fy llaw i'n dyner, dyner nes o'n i'n teimlo rhyw wres cynnas yn 'y ngherddad i o 'nghorun i fy sawdl . . .'

'Mistyr Thomas,' holodd Meri, 'fasa' chi'n lecio i mi agor y ffenast i chi, i ni ga'l dipyn o awyr iach? C'nesach eith hi.'

'Dw' i'n iawn, diolch.'

'. . . A dyma fo'n fy rhoi i orwadd ar gowtsh lledar, lliw minc. Wedyn, dyma fo'n agor botwm top 'y mlows i'n ara' deg bach, er mwyn i mi fedru anadlu'n ddyfnach.'

'Yr hen sglyfath iddo fo!' meddai Meri Morris, wedi methu ag ymatal eiliad yn hwy.

Anwybyddodd Daisy ymyraethau'i "chwaer fach", fel y galwai hi, a throi ac edrych i fyw llygaid ei Gweinidog. 'Mistyr Thomas, wyddoch chi be' ddigwyddodd wedyn?'

''Sgin i'r un syniad,' ond â'i feddwl yn cyflym ddychmygu'r gwaethaf.

'Fel roedd o'n sgwrsio hefo mi, yn dawal fach, pwy gerddodd ata' i o'r ochr draw ond Der.'

''Dach chi'n siŵr?'

'Cyn wiriad â 'mod i'r foment yma yn cydio yn ych llaw chi, siwgr.'

Gan y gwyddai Eilir fod Meri Morris yn anadlu i lawr ei war ceisiodd gael Daisy yn ôl i'r ddaear. Rhoddodd ei law yn dyner ar ei braich a sibrwd yr hyn oedd o'n gredu erbyn hyn, ''Dw i'n meddwl, Musus Hughes, ma'ch twyllo chi 'nath o.'

Fe'i ffromwyd. Llusgodd ei hun yn ôl i ben arall y soffa.

'Mistyr Thomas, fedra' i ddim gwadu be' welis i â fy llygaid fy hun.'

'"Bendigedig yw'r rhai ni welsant ac a gredasant", dyna ma'r Testament Newydd yn 'i ddysgu i ni, cofiwch.'

'Posib'.'

Dŵr ar gefn hwyaden oedd diwinydda oer fel'na i wraig a welodd y tir pell ac a ddaliwyd gan ei gyfaredd. Adfeddiannodd ei phwyll, fel ag yr oedd o, a mynd ymlaen â'r saga.

'Roedd o'n hogyn ifanc unwaith eto.'

'Wilbert?' holodd y Gweinidog, wedi cymysgu.

'Na, na, fy niweddar ŵr i.'

'O!'

' A dyma fo'n sboncio i 'nghyfeiriad i dros y cymylau ac angyles ifanc yn 'i fraich o.'

'Siŵr goblyn ma' fo oedd o, felly,' ebe'i chwaer yn goeglyd. 'Fedrwch chi ddim tynnu cast o hen geffyl!'

'A wyddoch chi be' ddeudodd o wrtha' i, Mistyr Thomas?'

'Na wn i.'

'Mi gydiodd yn fy llaw i, fel y bydda' fo'n arfar g'neud, a sibrwd – "Daisy, 'nghariad i, fyddwn i byth wedi marw mewn gwely diarth tasa'r flancad drydan honno oedd gynnon ni heb ffiwsio".'

Stormiodd Meri Morris ar ei thraed, ac ochneidio. ''Glywsoch chi'r fath frwela 'rioed, Mistyr Thomas bach? Ylwch, mi a' i i 'neud panad i chi, i chi ga'l dŵad atoch ych hun. Mi gewch chithau bum munud arall i geisio bwrw allan gythreulia'd – a finnau'n absennol.' Wrth ymadael, trodd at ei chwaer, 'Mi ddo' i â diod oer i ti, Daisy, a lwmp mawr o rew yn'o fo – i ti ga'l cwlio!'

* * *

Wedi'r siwrnai seithug i Fron Dirion penderfynodd Eilir rowndio'r dre' ar ei ffordd adref a thalu ymweliad â chartrefi preswyl Porth yr Aur lle roedd rhai o henoed yr eglwysi'n hydrefu. Erbyn hyn, roedd o'n weddol sicr yn ei feddwl mai gwalch wedi codi'n eithriadol o fore oedd y 'Pastor Wilbert' – fel y cyfeiriai Daisy ato – ac mai camgymeriad o'r mwyaf fyddai i Gyngor Eglwysi'r dre' roi sêl bendith ar ei ymweliad. Wedi mwytho'r weddw, fe'i harweiniodd, mae'n amlwg, i ystad o hypnosis lle roedd ffiniau normalrwydd yn diflannu a hithau, druan, yn 'gweld' a 'chlywed' yr hyn a ddymunai a'r hyn a awgrymid iddi.

Wrth groesi'r sgwâr sylwodd ar ŵr a gwraig, draw yn y pellter, yn pastio posteri ar furiau a ffenestri rhai o'r siopau gweigion. Tybiodd i ddechrau mai'r syrcas un eliffant honno a ymwelai'n flynyddol â'r Morfa Mawr oedd ar fin pabellu yn y dre' a bod naill ai gwarchodwr yr eliffant neu glown wedi mynd ar ei sodlau, yn paratoi'r ffordd ar ei chyfer.

Wedi dod beth yn nes cafodd sioc heb ei disgwyl pan sylweddolodd mai William Edwards, Gweinidog Carmel, oedd yn handlo'r brws stabl a Prisila'i wraig yn cario'r bwced bast.

''Rarswyd fawr! Chi, William Edwards, sy' ar ben yr ystol?'

'Pa hwyl, frawd?' a phastio ymlaen.

'Sudach **chi**, Prisila?'

''Dw i gystal â'r disgwyl, diolch.' Gwthiodd yr het a wisgai yn ôl ar ei gwegil a sychu'r chwys oddi ar ei thalcen â chefn ei llaw. 'William, mi rydw' i am fynd i un o'r caffis 'ma am banad o de, wrth bod gynnoch chi gwmni.'

'Iawn, Prisila. Diolch i chi.' Hi, bob amser, oedd yn gwisgo'r trowsus yn Llys Myfyr.

'Eilir Thomas, fyddwch chi mor garedig â phasio postar arall i mi?'

'Y?'

'Diolch, frawd. Rhoi help llaw i Musus Webster ma' Prisila a minnau i hyrwyddo'r oedfa fawr fydd yng Ngogerddan nos Wenar nesa'. Codwch y bwcad i 'nghyrraedd i, frawd. Diolch i chi.'

Wrth edrych o amgylch gwelodd Eilir fod y rhan honno o'r

dre' yn bosteri byw fel ag yr oedd hi; wedi craffu adnabu'r wyneb siriol oedd ar bob poster – yr un wyneb yn union â'r un a fu'n serennu arno oddi ar ben y set deledu yn Fron Dirion chwarter awr yn ôl.

'Postar arall, frawd. Reit handi rŵan cyn i'r past s'gin i ar y brws 'ma sychu.'

'William Edwards, 'dydi be' sy' ar y posteri 'ma ddim yn wir.'

'Y bwcad yn uwch, frawd.'

'Dydi'r Cyngor Eglwysi ddim wedi rhoi cefnogaeth i'r cyfarfod.'

'Ond y chi, Eilir Thomas, oedd i drefnu hynny.'

'Wel, ar fy ffordd o Fron Dirion yr ydw' i ar hyn o bryd . . .'

'Postar arall! Reit siarp rŵan.'

'Ac ma' gin i ofn yn 'y nghalon ma' dipyn o swindlar 'di o.'

'"Na fernwch", medda'r Gair. A pheth arall, ych busnas chi oedd dŵad ag adroddiad yn ôl mewn da bryd.'

'Hannar munud, 'nes i ddim . . .'

'Postar, frawd. Nid pwcad!'

'Ydi'r *Folies Bergere* yn dŵad i'r Capal Sinc ne' rwbath?'

Roedd rhaid i Walters y Person ddod heibio pan oedd Eilir yn dal pwced bast uwch ei ben a phen Edwards Carmel, fwy neu lai, yn y bwced.

'Pam?' holodd Eilir, yn ddigon sych.

'Gweld chi'n plastro'r dre' 'ma hefo posteri.'

'Ceisio bod yn ddwylo ac yn draed i Musus Webster a'i chenhadaeth ydan ni'n dau,' eglurodd William Edwards, yn dechrau pastio ffrynt y siop nesa'.

'Siaradwch chi ar ych rhan ych hun, Edwards. Ca'l fy nghonscriptio i'r gwaith 'nes i. Rydw' i'n erbyn y sioe, beth bynnag.'

'Chdi, Eil,' ebe'r Person, yn gyrru'r cwch i'r dŵr, 'ydi'r cynta' i mi weld yn hysbysebu be' mae o'n gasáu.'

Bwriad Eilir, eiliad neu ddwy ynghynt, oedd lluchio'r past am ben William Edwards ond bellach roedd o'n falch na wnaeth mo hynny er mwyn iddo ei gael i'w luchio dros y Person.

'Tasa ti, Dic Walters, yn y lle cynta', heb fy enwi i fynd i'r Fron Dirion 'na.'

'Perthyn i dy gwt ieir di ma' Daisy.'

'Aelod efo mi ydi Musus Hughes, ia.'

'Ac ma' isio i ni "brofi'r Ysbrydion", yn 'does, Edwards?'

Roedd hwnnw'n dal ar ben yr ysgol ac yn rhy brysur yn pastio i ddechrau athronyddu. 'Postar neu ddau eto, Eilir Thomas. Reit gyflym, frawd.'

Gyda chil ei lygad gwelodd y Person yr armagedon oedd ar ddigwydd a phenderfynodd ffoi o'r fyddin cyn i'r rhyfel ddechrau, 'Hwyl i chi rŵan, hogiau. Gin **i** waith i' 'neud!'

'Hannar munud, Walters. Gin innau waith i' 'neud.'

'A gwell gwaith, gobeithio, na hambygio waliau siopwraig dlawd fel fi,' a cherddodd Elsi Rogers 'Galwch Eto' i ganol y stryd, hen anorac fudr dros ei hysgwyddau a sbectol golwg byr ar flaen eitha'i thrwyn.

Hi oedd siopwraig hynaf Porth yr Aur, y finiocaf ei thafod a'r gyfoethocaf, yn ôl pob sôn – hen ferch fedrai werthu tywod i Arab a'i berswadio fo, yr un pryd, i'w brynu'n rhydd, i arbed bagiau – a'i siop pob-dim-i-bawb yn agored Sul, gŵyl a gwaith, o fore hyd hwyr, hyd yn oed ar bnawn Dolig. Roedd hi'n aelod, absennol mae'n wir, yn y Capel Sinc a thlodion ardal yr Harbwr wedi gorfod cyfrannu drosti ers blynyddoedd er mwyn iddi gael y fraint o ddal i berthyn.

'Eilir Thomas, chi sy' hefo'r bwcad 'na?' a chraffu i'w wyneb.

'Ia.'

'Pam na alwch chi heibio i rai o'r bobol sy'n y cartrefi henoed 'ma, yn lle g'neud drygau.'

'Dyna ydw' i'n 'neud.'

'G'neud drygau?'

'Nagi, galw heibio i rai o'r cartrefi henoed.'

'Hefo pwcad?' Cododd ei phen a chraffu eto i'r entrychion,

'A phwy ydi'r hen ŵr tindrwm 'na 'dach chi wedi'i orfodi i ddringo i ben ystol?'

Pan oedd Eilir ar fin amddiffyn ei gam disgynnodd William Edwards i lawr grisiau'r ysgol yn araf, ddefosiynol, gan ymdrechu i adfer urddas ei swydd. 'Y Parchedig William Edwards, Gweinidog Carmel, Achos yr Annibynwyr yn y dre' hon. Sudach chi, chwaer?'

'Faswn i'n ganmil gwell 'tasa rhyw lymbar diog fel chi heb ddifetha waliau fy siop i. Ma' hi'n ddigon anodd i mi ga'l dau ben llinyn ynghyd fel ag y mae hi, heb orfod talu am fildio wal newydd.'

'Hoffech chi i'r brawd Eilir Thomas a minnau olchi'r wal cyn ymadael?'

'Well gin i i'r Cownsul weld y wal fel ag y ma' hi, iddyn nhw ddeud wrtha' i faint o frics fydd angan 'u hadnewyddu. Ffwrdd â chi o 'ngolwg i. '

A dau â'u cynffonnau rhwng eu gaflau a gerddai i fyny Stryd Fawr Porth yr Aur ddiwedd y pnawn hwnnw – Eilir yn cario'r ysgol a'r bwced bast a William Edwards yn cario'r brws a'r posteri.

* * *

Serch yr holl bosteru anghyfrifol, tyrfa weddol fechan a ddaeth i'r seans ym Mhlas Gogerddan y nos Wener ganlynol. Fel bob amser, roedd Llinos yn sefyll ar stepiau'r feranda yn glawio'i chroeso'n gawodydd breision ar ben pwy bynnag a ddynesai at y trothwy.

'A! Eilir, 'nghariad i, mi wyddwn i y byddach chi'n rhoi'ch anadl o blaid y noson. Dowch i mewn. Ma' William a Prisila wedi cyrraedd yn barod.'

'Canon Puw, 'rhen gariad, peidiwch ag ista'n rhy agos i'r tân heno, rhag ofn i chi syrthio i gysgu a deifio godreuon ych trowsus unwaith eto. Ond diolch i chi am lusgo cyn bellad.'

'Dic, croeso!' ac estyn ei dwylo allan i groesawu'r Person oedd newydd barcio'i gar ar y graean. 'Ma'r Capten, bob amsar, yn canmol eangfrydigrwydd Eglwys y Plwy. Ewch i mewn ych tri. Ma' Jim, 'mlodyn i,' a chyfeirio felly at y Tad Finnigan, 'eisoes wedi cyrraedd, ac mae o a'r Capten wedi ymneilltuo i'r *boudoir* am sgwrs fach. Y naill a'r llall, fel y gwyddoch chi, yn *allergic* i goffi!'

Pan oedd Eilir yn camu i mewn i'r Plas roedd Ifan Jones yn camu allan, yn ŵr â'i adenydd wedi'u clipio.

''Dach chi'n mynd adra rŵan, Ifan Jones?'

'Ydw' am 'y mywyd. I feddwl nad oedd y dyn 'na 'rioed wedi clywad am Laura ni. Hithau, pan oedd hi, yn ennill ym mhob sioe am osod blodau.'

'Wel ia.'

'A phan holis i o am yr 'wyllys, dyma fo'n d'eud 'i bod hi wedi'i gadael hi ar y setl yn y gegin, dan y glustog. A fuo 'na 'rioed setl yng nghegin Beudy Mawr 'cw, heb sôn am un â chlustog arni.'

Wedi mynd dros y trothwy llithrodd Eilir a'r Person i eistedd, ochr yn ochr, yng nghefn yr ystafell.

'Ty'd i fa'ma, Eil, rhag ofn i'r Ysbrydegwr 'ma fynd i dy bortmanto di a thynnu pechodau dy orffennol di allan.'

'Mi gadwa' i'n effro, paid ti â phoeni, a ph'run bynnag, ma' gin ti, Walters, fwy o sgerbydau i boeni amdanyn nhw na fi.'

'Eilir, weli di be' wela' i?'

'Be'?'

'Herod a Philat yn ista'n beryglus o agos i'w gilydd.'

Un ochr i'r tân, mewn cadair anghysurus o ddofn, nythai Daisy Derlwyn Hughes a'i phengliniau mawrion yn cyffwrdd â'i gên; yn union gyferbyn â hi, ar stôl drithroed, uchel, clwydai Dwynwen Lightfoot o'r *Lingerie Womenswear*, gyda chwpanaid o goffi yn un llaw a sigarét rhwng bysedd meinion y llaw arall.

Bu'r ddau yn blasu moethusrwydd lolfa Gogerddan am ychydig eiliadau. Dic oedd yn medru edmygu'r chwaeth, yn fwy felly na'r Gweinidog.

'Yli di'r ffiol las a gwyn 'na ar y silff ben tân.'

'Gwela'.'

'Dyna i ti *Pâte-sur-Pâte.*'

'O!'

'Un o'r *Mintons*, gwreiddiol, ac yn fwy o werth na'r holl degins er'ill sy' 'ma hefo'i gilydd.'

Daeth yr Ysbrydegwr ei hun i mewn o'r cynteddoedd cefn, wedi'i wisgo ar gyfer yr achlysur – siwmper ddu gwddw crwn, trowsus tywyll a phâr o 'sgidiau claerwyn. Aeth ar ei union at Daisy Derlwyn Hughes a'i swsio'n drwm. Yna, nodio ar Dwynwen Lightfoot.

'Ma' **hwn** yn ferchetwr eto,' sibrydodd y Gweinidog, yn awgrymu y gwendid y cyhuddid y Person ohono gan y plwyf-olion.

'A gwaeth, yn ôl 'i olwg.'

'Yn y *Nook* y cysgodd o neithiwr.'

'Taw dithau.'

Aeth ati i osod ei gelfi, fel petai o'n dynnwr lluniau o ddechrau'r ganrif – bwrdd crwn a lliain sienîl, lliw gwin, drosto; clamp o ambarél mawr, tywyll, yn gefndir ac yna lamp sefyll, hirgoes.

Cododd William Edwards ar ei draed i gyflwyno, 'Annwyl Gyfeillion, ac eraill. Fy uchel fraint i, ar ran Llinos, ein chwaer, a'r Capten Webster, ydi'ch croesawu chi heno i Gogerddan . . .'

'*Did some bugger mention my name just now?*' holodd y Capten, o bellter y *boudoir*, yn uchel ei gloch. Aeth y gynull-eidfa'n gwbl fud.

'*It's indeed possible, Randolph. I seem to be hard of hearing these days.*'

'*Father Finnigan, have another drop of the hard stuff. It'll deaden the pain of what's coming.*'

'*Sure to God, I will.*' Yna, tinc dau wydr yn cusanu'i gilydd. '*It's that strong, Randolph, I could swear it came all the way from the sweet bogs of Connemara. It is indeed.*'

'*It's a wee bottle L'inos and I picked up in Jamaica, few years back, returning from quelling the natives there.*'

'*Your good health, Captain Webster. May the good Lord bless you and your very attractive wife.*'

'*Bottoms up! Father Finnigan.*'

Rhuthrodd Llinos i gau drws y siambr sorri'n dynnach rhag i'r saint, fel y byddai'r brandi'n cydio, glywed gwaeth pethau eto.

'Fel pwt o Lywydd, ma' hi'n fraint ac yn anrhydedd i mi, i gael cyflwyno i'ch sylw caredig chi y brawd Wilfred, o *Stoke-on* . . .'

'Wilbert!' cywirodd y siaradwr yn ffyrnig.

'Pardwn?'

'Wilbert yw'n enw i – nage Wilfred.'

'Mae'n ddrwg gin i, frawd.'

Roedd y Pastor Wilbert yn hŷn o gryn dipyn na'i lun ac yn llai glandeg, a'r llygaid pŵl yn awgrymu blynyddoedd meithion o fethu â chysgu – oherwydd pigiadau cydwybod fel y tybiai Eilir.

'Ddim yn ddyn i brynu car ail-law gynno fo, Eil.'

'Sh!'

Wedi apelio am berffaith wrandawiad – serch bod y lle fel y bedd fel ag yr oedd hi – eglurodd y Brawd Wilbert ei fod o am fynd ati i chwilio am ei 'gyfryngwr' – un o'r enw 'Igylŵ'. Plygodd yn ei gwman, fel ci wedi rhwymo, gan rwbio'i ddwylo a thuchan.

'Ydi o'n methu â cha'l 'i weithio ne' rwbath?' sibrydodd y Person.

'Sh!'

Tramorwr oedd 'Igylŵ' yn ôl Wilbert, ond ym myd yr ysbrydoedd roedd pawb o'r un gwaed a phob iaith mor ddealladwy â'i gilydd.

Yna, daeth brysneges.

'Odi'r enw 'Bronwen' yn gyfarw'dd i un ohonoch chi?'

Sylwodd Eilir ar William Edwards, a eisteddai'n wynebu'r gynulleidfa, yn sgriwio'i hun i'w sedd.

''Sgin Edwards gynrhon yn 'i ben ôl ne' rwbath?'

'Sh!'

Cafodd yr Ysbrydegwr bwl arall o gwmanu. 'A'r enw s'da hi i fi yw Wili neu William. O's 'dan ni William yn y gynulleidfa?'

Aeth yn chwysfa ar Weinidog Carmel. Ni allai lai nag ymateb i'w enw.

Yn raddol dechreuodd Wilbert adrodd stori William Edwards yn torri amod priodas yn nyddiau Coleg Bala-Bangor, a'r gynulleidfa – yn arbennig felly y rhai a sgwriwyd am eu pechodau o bulpud Carmel – yn mwynhau pob eiliad ohoni.

Yr unig oleuni yn yr ystafell, bellach, oedd gwawl coch o'r lamp sefyll a hwnnw yn union ar wyneb yr Ysbrydegwr.

''Nawr, 'wy'n moyn i bawb ohonoch chi blethu'ch dwylo a'u dala nhw'n dynn. Reit?' Roedd gan yr Ysbrydegwr lais dwfn, cyfoethog. 'Chi wedi ymlaco'n llwyr nawr.' Gwelai Eilir wyneb gwahanol fel pe'n ymddangos ar wyneb yr Ysbrydegwr ac yn syllu yn union i'w gyfeiriad o. Ond roedd hi'n anodd gebyst dal yn effro.

'Chi'n teimlo'ch llyged yn trymhau.'

Clywai y Gweinidog anadlu dwfn a rheolaidd Dic Walters, y Person.

'Ma' Igylŵ yn symud boitu ond chi'n becso dim am 'ny. Chi'n teimlo'n gwbl ddiogel 'dag e.'

Dyna'r foment y syrthiodd Gweinidog Capel y Cei, hefyd, i drwmgwsg.

* * *

'Eilir, coda!'

'Sut?'

Roedd hi'n fore Sadwrn wedi'r nos Wener yng Ngogerddan. Pan glywodd Ceinwen sŵn car neidiodd o'r gwely i'r ffenast a sbecian rhwng y llenni. 'Ma' 'na gar plisman wedi parcio wrth y giât ffrynt.'

'Ty'd o'r ffenast 'na 'ta.'

'Pam?'

'Ne' mi gei dy riportio am ymnoethi yng ngolwg y cyhoedd.'

'Yma mae o'n dŵad, Eilir.'

'Be'?' gan neidio o'i wely a rhuthro am ei grys. 'Well i mi fynd i lawr i agor drws iddo fo.'

'Yn dy drôns?'

'Y? naci,' a bustachu i wthio'i goesau i drowsus.

'Parchedig Eilir Thomas?'

'Ia.'

'Ga' i ddŵad i mewn?'

'Cewch. Wedi cysgu'n hwyr bora 'ma, ma' gin i ofn.'

'Braf arnoch chi'n medru fforddio'r amsar.'

Llanc main, tal, oedd y Plisman, newydd ddechrau siafio, a chyfrifoldeb swydd gyntaf gyda'r heddlu yn pwyso'n drwm ar ei ysgwyddau.

'Dowch i mewn i'r stydi.'

'Eisteddwch,' meddai hwnnw wrth y Gweinidog, yn ei dŷ 'i hun.

'Diolch. G'newch chithau'r un fath.'

'Parchedig Thomas, ydach chi'n 'nabod y gŵr hwn?' a dangos llun i'r Gweinidog.

'Ydw'.'

'Reit, mi rydw' i o hyn ymlaen am wneud nodiadau ac mi all yr hyn fyddwch chi'n 'i ddeud ga'l 'i ddefnyddio fel tystiolaeth yn ych erbyn chi.'

'Hannar munud! Welis i'r dyn yna neithiwr, am y tro cynta' yn 'y mywyd. Mi fedar unrhyw un o'r gweinidogion eraill oedd yno dystio i hynny.'

'Tystiolaeth un o'r rheini sy'n peri 'mod i yma.'

'Be?' a chodi'i lais.

'Ydi enw'r Parchedig William Edwards yn canu cloch i chi?'

'Ydi, yn anffodus.'

'Wel y fo ddeudodd, mewn cyfweliad yn gynnar bora 'ma,

ma' ar ych cyfarwyddyd chi y daeth y gŵr bonheddig i Borth yr Aur. Ac mi rydach chi'n 'nabod Musus Llinos Webster, Gogerddan?'

'Fûm i'n cysgu hefo hi neithiwr.'

Gwylltiodd y Plisman ifanc a rhybuddio, 'Ylwch yma, ma'r ymchwiliad yn un rhy ddifrifol, ac amsar yr heddlu yn rhy brin, i chi fynd i wamalu.'

'Mae o'n wir.'

'Sut?'

'Roedd yno hanner cant arall yn cysgu hefo hi hefyd.'

Gwelodd y Plisman yr ergyd. 'Wel, pan oeddach **chi** yn cysgu mi ddiflannodd 'na eiddo gwerthfawr iawn.' Ymgynghorodd â'i lyfr nodiadau i gael yr enw a'r ynganiad yn weddol gywir, 'M . . . fâs *Pâte-sur-Pâte*, las a gwyn. Ac erbyn y bore 'ma ma'ch cyfaill chithau wedi diflannu.'

'A'r cyhuddiad yn fy erbyn **i**?'

'*Aiding and abetting*, o bosib'?'

Gwylltiodd y Gweinidog yn gandryll. Neidiodd ar ei draed. 'Welwch chi'r drws 'na?'

'Y . . . gwelaf.'

'Allan drwyddo fo.'

'Ond, Parchedig Thomas . . .' eto'n codi ar ei draed ac yn cychwyn i'r cyfeiriad.

'Wps!' meddai'r Plisman, fel roedd Ceinwen, a glustfeiniai wrth y drws, yn syrthio'n daclus i'w freichiau.

Camodd allan o'r tŷ a phrysuro am y car.

'Ac yn y cyfamser chwiliwch am ffurflen i mi ga'l leisans gwn.'

'Gwn?'

'I mi ga'l saethu Gweinidog yr Annibynwyr!'

* * *

Ond chafodd o mo'i saethu, na'i grogi, er i amryw erfyn am hynny, ond fe ddedfrydwyd Pastor Wilbert i dymor hir o garchar am dwyllo'i gefnogwyr – gwragedd yn ing eu gweddwdod, yn bennaf – ac am ladrata'u heiddo pan oedd rheini mewn stâd o hypnosis. Pan gyrhaeddodd yr Achos Frawdlys Birmingham bu rhaid i Capten Webster a'i briod gloi Gogerddan am bythefnos a mynd yno i ddisgrifio'r fâs *Pâte-sur-Pâte* a gollwyd.

Ond mân lwch y glorian, yn hytrach na'r un a bwyswyd ynddi, fu testun sgwrsio trigolion Porth yr Aur am fisoedd wedyn: pwy tybed oedd y 'Fronwen' honno y bu i'r Parchedig William Edwards ei siomi, ac oedd hi'n wir fod Dwynwen Lightfoot – derbynwraig y *Transparency Monthly* – a'r Pastor Wilbert yn hen gariadon? Ond 'doedd neb ond 'Igylŵ' fedrai ddatgelu cyfrinachau'r Gorwel Pell.

Angladd o'r Sowth

'Hoffwn i ga'l gair bach hefo chi, Mistyr Thomas, cyn ych bod chi'n mynd.'

'Ia, Mistyr Howarth?'

'Yn breifat, frawd,' a gwthio'r Gweinidog i gysgod coeden ddraenen wen yng nghwr y fynwent. Roedd William Howarth, Ymgymerwr Porth yr Aur, yn enwog am gau pob adwy o'i ôl. 'Ma' mynwant yn lle drwg am sgandal. Gyda llaw, diolch i chi am arwain angladd y ddiweddar Katie Pritchard gyda'r gweddustra dyladwy.' Un o eiriau mawr Howarth oedd 'gweddustra'.

'Wel, ar un olwg, roedd o'n angladd hawdd i mi. Ro'n i'n ffond iawn o Musus Pritchard, fel y gwyddoch chi.'

Edrychodd Howarth o'i amgylch yn wyliadwrus, fel petai o

ar fin chwarae gêm o gowbois ac Indiaid hefo'i Weinidog. Sibrydodd, 'Ma' gin i ofn, frawd, bod yna angladd arall ar y gorwel.'

'O! Pwy sy' wedi marw, felly?' a daeth yn dro i'r Gweinidog wthio'r Ymgymerwr, gam yn ôl, gan ei fod o bellach yn mynd yn sownd yn nrain y goeden.

'Anodd deud.'

'Be' 'dach chi'n 'i feddwl?'

Edrychodd yn bryderus drach ei gefn unwaith yn rhagor a sibrwd, 'Wedi ca'l negas ar y ffôn s'gin i yn yr hers ydw' i.'

'O ia?' ac roedd Eilir, yntau, ar ei waethaf yn mynd i sisial fel Howarth.

'Am i mi alw yn 7 Llanw'r Môr yn union wedi'r arwyl 'ma.'

'Ond cartra Musus Cwini Lewis a'i gŵr ydi 7 Llanw'r Môr,' atebodd y Gweinidog, wedi cael peth braw.

Penderfynodd William Howarth na allai fforddio afradu rhagor o amser prin yn hel dail. Trodd ei gefn at y galarwyr a thynnu amlen frown o boced ei gesail a'i gwthio'n slei i boced y Gweinidog, 'Hwn i chi, oddi wrth y teulu. Teulu Musus Pritchard, felly.'

'Ond, Mistyr Howarth, mi wyddoch na fydda' i byth yn derbyn dim oddi ar law aelodau'r eglwys. Ma' nhw'n cyfrannu digon fel ma' hi.'

'Fel deudis i, y teulu sy'n 'i roi o – nid fi.'

'Os hynny, yna mi a' i'n ôl at y teulu i ddangos fy ngwerthfawrogiad.'

Cydiodd William Howarth ym mhen-ysgwydd y Gweinidog fel petai o'n lleidr ar fin dianc, 'Fydda'n well gin i i chi beidio, frawd.'

'O?'

''Nan nhw ddim byd ond ailddechrau crïo. Ac mi gym'ith ddwywaith yr amsar i mi 'u ca'l nhw yn ôl i'r car wedyn.'

Taflodd yr Ymgymerwr gip at y bedd a sylwi fod y galarwyr yn hwylio i chwalu, 'Rhaid i mi 'i throi hi rŵan, Mistyr Thomas, ma'r teulu yn dechrau anesmwytho. Dowch draw at

Llanw'r Môr ymhen rhyw awr go dda, wedi i mi ga'l rhagor o fanylion.'

Cychwynnodd ymaith i gyfeiriad y bedd ar ei draed wadin, gan sibrwd yn fyr ei wynt, 'Mi ddaw pethau'n gliriach i ni, un ac oll, yn y man.'

* * *

Stryd o dai teras – gryn bymtheg ohonyn nhw – oedd Llanw'r Môr, wedi'u hadeiladu ar y cei yn nannedd y ddrycin. Yn ôl a glywodd Eilir, pobl dlotaf Porth yr Aur a drigai ynddyn nhw 'slawer dydd, a'r ardal yn enwog am ei hymladdfeydd – cwrw o'r 'Fleece', gerllaw, yn berwi'r gwaed a'r cei yn dalwrn cryno ar gyfer y cwffio. Wedi i'r Harbwr droi'n gae chwarae i ymwelwyr yn fwy na man bywoliaeth i bysgotwyr daeth y rhes dai yn un boblogaidd. Gyda'r blynyddoedd, ymestynnwyd y tai tuag at yn ôl a'u peintio'n ddestlus; roedd nifer wedi rhoi dorau o bobtu'r ffenestri – yn fwy fel addurn nag yn gysgod rhag y drycinoedd – a sawl un wedi hongian hen angor neu damaid o rwyd bysgota ar y parwydydd.

''Dach chithau wedi landio, fel ceiniog ddrwg!'

Roedd Jac Black yn hanner-gorweddian ar foned yr hers, yn ei ddu benthyg, yn cael smôc, a'r hers yn dal i droi. 'Lle bynnag y gwelwch chi gigfran yn disgyn ma' 'na gigfran arall yn siŵr dduwch o ddŵad yno ar 'i hôl hi.' Nodiodd ei ben i gyfeiriad y drws lliw oren. 'Ma' Howarth i mewn 'na ers pobeidia'.'

Un doniol oedd y dreifar hers rhan-amser, a'i gyfarthiad, gan amlaf, yn llawer gwaeth na'i frath.

'Yr hers 'ma'n troi'n dawal gynnoch chi, Jac.'

'O, fel injian bwytho bach. Aildanio'r satan ydi'r drwg, yn enwedig pan fydd hi'n hannar cynnas.' Nodiodd ei ben eilwaith i gyfeiriad rhif 7, 'Os ydi Howarth yn codi yn ôl y funud – ac ma' nhw'n deud i mi 'i fod o – mi geith yr hen Cwini a'r gŵr Lanfairpwllgwyngyll o fil gynno fo.'

Rhag bod yn llwyr yn y niwl, cyn camu i'r tŷ ceisiodd Eilir

odro peth gwybodaeth oddi wrth ddreifar yr hers.

''Sgynnoch chi, Jac, ryw syniad pwy yn union sy' wedi marw?'

'Mi wyddoch am Howarth 'ma gystal â minnau. Unwaith y clywith o oglau c'nebrwng mae o'n cau fel feis. Diawl, ma' nhw'n rhoi mwy o wybodaeth ar garrag fedd rhywun na be' gewch chi gin Howarth.'

'Mi wn i hynny. Dyna ydi 'mhroblem i.'

'Ond rhyngoch chi a fi a'r hers 'ma, ond i chi beidio â deud ma' fi sy'n deud, dw' i'n barnu ma' Speic, gŵr Cwini felly, sy' wedi colli un o'i ewythrod tua'r Sowth 'na.'

'Be, 'sgin Mistyr Lewis berth'nasau yn y De?'

'Wyddach chi ddim? Diawl, 'ddengodd nain yr hen Speic – Dora *Ever-green* fel y byddan ni'n 'i galw hi – i'r Sowth, hefo rhyw ddyn gwerthu brwsus, a mynd â dau o'r cybiau hefo hi. Ond mi 'dawodd Ifan, tad Speic, ar ôl, i warchod y gath.'

'Tewch chithau,' wedi rhyfeddu at y fath greulondeb.

'Ac i hel 'i dama'd gorau medra' fo.'

'Bobol!'

'A saith oedd o ar y pryd.'

'Felly, un o'r ddau aeth i lawr i'r De sy' wedi marw?'

'Ia beryg'. Felly dalltis i ar ffôn yr hers 'ma. Ond peidiwch â gofyn i mi p'run.'

'Mi a' i i mewn 'ta, i mi ga'l gwbod 'chwanag.'

'Ylwch, triwch berswadio Howarth, bendith tad i chi, i godi oddi ar 'i din. Ma' gin i gewyll cimychia'd yn disgwyl mynd i'r môr, a fydd y llanw wedi troi cyn pen yr awr.'

'Wel, mi 'na i 'ngorau,' a rhoi cnoc ar y drws.

Fel roedd y drws yn cael ei agor rhoddodd Jac Black wên lydan, a sibrwd rhwng dwyres o ddannedd melyn, 'Mi ddaw pethau'n gliriach i ni, un ac oll, yn y man!'

* * *

'O! Chi sy' 'na?'

'Ia.'

'Well i chi ddŵad i mewn 'ta.'

'Diolch i chi, Musus Lewis.'

Wedi i Eilir groesi trothwy 7 Llanw'r Môr aeth pethau'n llai eglur yn hytrach nag yn gliriach. Un rheswm am hynny oedd fod Cwini Lewis, yng ngwefr y brofedigaeth a ddaeth i ran ei theulu, ac fel hysbyseb o hynny i'w chymdogion, er mwyn iddyn nhw alw yno i gydymdeimlo, wedi cau allan bob llygedyn o oleuni nes bod y lle mor dywyll â bol buwch.

'Steddwch, giaffar,' gorchmynnodd llais dwfn o ganol y tywyllwch.

'Diolch.' Gweld y gadair oedd yn anodd.

'Diawl, 'nes i ddim gofyn i chi ista ar 'y nglin i.'

'Mae'n ddrwg gin i,' a neidio ar ei draed drachefn.

Wedi teimlo â'i law cafodd Eilir hyd i gadair wag ac eisteddodd arni, yn ddiolchgar.

Fel yr ymgynefinai'i lygaid â'r caddug gwelodd mai Speic Lewis – y cyn-reslar – oedd perchennog y llais. Lledorweddai hwnnw gyferbyn ag o, yn ei fest a'i fresus, gyda phaced o sigaréts a bocs o fatsus ar ael ei fol a chan o ryw ddiod neu'i gilydd ar fraich y gadair. Safai Cwini Lewis, mewn du trwm, yn pwyso'i chefn ar y silff-ben-tân a sigarét yn mud-fygu rhwng ei bysedd. Yn anffodus i Eilir roedd Howarth yr Ymgymerwr wedi dibennu'i waith ac wedi ymadael.

'Wedi ca'l profedigaeth ydach chi, Mistyr Lewis?'

'Ia.'

'Wedi colli'i ewythr mae Mistyr Speic Lewis Lewis,' ebe llais tenor o'r tywyllwch ger y lle tân. Roedd Howarth yno wedi'r cwbl ac wedi'i wthio i eistedd ar stôl isel rhwng clamp o gi tseini a'r ffender. 'David John Lewis wrth 'i enw.'

'John David Lewis!' arthiodd Speic yn fygythiol, 'hwnnw sy' wedi cicio'r bwcad. Ma' Defi John, 'i frawd o, yn dal yn fyw.'

Rhuthrodd Howarth am y beiro a'r llyfr bach i gywiro'r enw,

serch ei fod o mewn cornel dywyll, ac ychwanegu'n weddigar, 'Mi ddaw pethau'n gliriach i ni, un ac oll, yn y man.'

'Un fel'na oedd Nain Dora,' eglurodd Cwini Lewis drwy'r cymylau mwg. 'Mi fynnodd alw un yn Defi John a'r llall yn John Defi, fel petai enwau plant ar rasions. A Lewis Lewis oedd enw tad Speic 'ma, pan oedd o'n fyw.'

'Rhyfeddol yn wir,' ochneidiodd William Howarth yn dal i gywiro'r manylion. 'Ymhle roedd y diweddar David . . . m . . . John David Lewis yn trigiannu?'

'Y?' holodd y galarwr, â'i geg ar siâp ŵy, heb daro ar y gair 'trigiannu' o'r blaen.

'Gofyn ma' Mistyr Howarth,' eglurodd y Gweinidog, 'ymhle roedd ych ewythr yn byw?'

Cwini atebodd unwaith yn rhagor. 'Oedd Nain Dora, ac Yncl Brwsus, wedi'i sgidadlo hi i lawr i'r Sowth 'na, i ryw le o'r enw Cilfynydd ne' rwbath.'

'Cil . . . fynydd,' mwmiodd yr Ymgymerwr a rhoi'r enw i lawr yn y tywyllwch.

'Ond fuo rhaid iddyn nhw adael tad Speic ar ôl er mwyn iddo fo fedru bwydo'r gath.'

'Ylwch yma, Jenkins,' ebe Speic wrth y Gweinidog.

'Thomas!' cywirodd ei wraig.

'Y?'

'Thomas ydi hwn. Y peth oedd gynnon ni o'i flaen o oedd yn Jenkins.'

'Fel ro'n i'n mynd i ddeud, nes i Cwini 'ma roi'i phig i mewn, ma'r teulu isio c'nebrwng mawr yn capal. Reit? A lot o ganu a bellu – wrth 'bod nhw'n dŵad o'r Sowth ylwch.'

'Dyno fo, mi gynhaliwn ni wasanaeth yn Elim, y Capal Sinc,' awgrymodd Howarth, yn gynnil, gan gredu mai hynny fyddai'n gweddu i deulu'r *Ever-green.*

Fel reslar a fu unwaith yn taflu'i bwysau yn y cylchoedd ymaflyd codwm 'doedd Speic Lewis ddim yn ŵr i chwarae ag o. Taflodd gip torri asgwrn at yr Ymgymerwr, 'Capal y Cei, Wil Dim Llosgi!' a rhoi'i lysenw trefol i'r Ymgymerwr. 'Ma' teulu'r *Ever-green* yn haeddu'r gorau. Reit?'

'Reit, Mistyr Lewis.'

'Ne' mi fydda' i'n mynd at y Cath'lics.' Trodd yn ôl i wynebu'r Gweinidog. 'Ac mi fydd isio i chithau, Jenkins, ddeud gair amdano fo.'

'Ond sut medra' i? 'Nes i erioed daro fy llygad ar ych ewythr.'

'Deud gair bach amdano fo, yr un fath, hynny fyddai'n weddaidd,' awgrymodd Howarth, wedi'i ddychryn gan y bygythiad a gafodd ac yn barod i werthu'i Weinidog er lles ei fusnes ac er mwyn 'gweddustra'.

'Ond, fedra' i ddim rhoi coffâd am berson nag ydw' i 'rioed wedi'i 'nabod o.'

''Doedd o ddim yn Berson,' ebe Cwini'n bowld. 'Pregethwr fath â chithau oedd o, ond bod o heb ga'l streips.'

'Egluro mae ein chwaer fod y diweddar . . .' a bu'n rhaid i Howarth gonsyltio'i nodiadau, 'y diweddar John David Lewis, Cilfynydd, yn bregethwr cynorthwyol hefo rhyw enwad ne'i gilydd.'

'Hefo'r ffyrm sy'n 'u rhoi nhw mewn dŵr oer,' ychwanegodd Speic, wedi cael ei ffeithiau yn gywir ond yn anghyfarwydd â'r termau priodol.

'Bedyddiwr oedd o felly?' sylwodd y Gweinidog.

'Ia, bosib'. Ac oedd o'n ddyn da, dalltwch, agos i' le, fel finnau. Yn hel pres i ga'l bwyd i genhadon a bellu, ac yn ffeind wrth 'i wraig.' Taflodd gip at Cwini, rhag ofn i honno'i fradychu yng ngŵydd y Gweinidog. 'Yn wahanol iawn i' frawd. Unwaith y bydd hwnnw wedi ca'l peint mi waldith y dyn 'gosa' i lawr. "*Panther* Lewis" ma' nhw'n 'i alw fo – yn 'i gefn, felly.'

'Ac os eith hi'n fain arnoch chi hefo be' i ddeud,' ychwanegodd Cwini drwy gymylau mwg, 'holwch John Gwich,' gan gyfeirio'n ddifenwol at John Wyn, Ysgrifennydd Capel y Cei ac un o hen drigolion y dref, 'mae o bownd o fod yn cofio Nain Dora ac Yncl Brwsus ac mi fedar o ddeud pethau da am y teulu. Ond e'lla bydd 'i bregethwr o'i hun yn dŵad i'r c'nebrwng wrth bod o'n gymaint o foi capal.'

Neidiodd Eilir at y drws ymwared, 'Wel, os hynny, mi geith **o** ddeud gair o goffâd. Mi fydd yn 'nabod yr ymadawedig yn llawar gwell na fi.'

Daeth yn dro i Speic Lewis styrbio. 'Cym'wch gythril o ofal, Jenkins, fedra' i ddim dallt yr un sill ma' pobol y Sowth 'na yn 'i ddeud, wel, os na fyddan nhw ar "Bobol y Cwm"!'

'Fydd un emyn yn ddigonol, Musus Lewis?' holodd Howarth.

'Tri! Ac un wedyn yn y fynwant.'

'Dyna ni, Musus Lewis, pedwar i gyd,' meddai'r Ymgymerwr yn dringar, yn gweithio ar yr egwyddor fod y cwsmer, bob amser, yn iawn.

'Ac mi fydd isio dau yn Susnag wrth ma' Sowthwelians ydyn nhw.'

Cytunwyd ar '*Fight the good fight*', o barch i frawd yr ymadawedig, yr ymladdwr, a'r dôn "Cwm Rhondda" fel saliwt i Gilfynydd a gwlad y pyllau glo, a dau emyn Cymraeg. Roedd Eilir ofn yn ei galon iddyn nhw awgrymu 'Calon Lân' fel teyrnged i Yncl Brwsus.

Cododd y Gweinidog i ymadael. 'Mi adawa' i i Mistyr Howarth drefnu'r amsar. Dw' i am 'i throi hi rŵan.'

''Dach chi'n dallt y bydd isio i ferchaid y capal 'neud bwyd i bawb?'

''Nes i ddim meddwl am hynny, Musus Lewis,' atebodd y Gweinidog.

'Wel, 'dach chi 'rioed yn disgwyl i'r pethau bach fynd bob cam yn ôl i'r Sowth 'na heb rwbath yn 'u cegau, a nhwtha' 'di ca'l profedigaeth? Fel ninnau o ran hynny.'

'Hynny, hwyrach, fydda'n weddaidd, Mistyr Thomas,' eiliodd Howarth, yn barod i werthu'i Weinidog am ddysglaid o gawl ffacbys, unwaith yn rhagor.

'Mi ga' i weld be' sy'n bosib' i' drefnu.'

'Faswn i'n awgrymu o leia' rwbath cyllall a fforc, a hwnnw'n gynnas,' ychwanegodd y reslar, 'wrth y bydd gynnyn nhw jyrni bell i fynd adra.'

'Ac mi fydd maint y bwyd, hwyrach, yn dangos maint ych crefydd chi,' ychwanegodd hithau.

Roedd hi ymhell wedi pump ar Eilir yn tynnu drws 7 Llanw'r Môr o'i ôl ac yn cychwyn am y Mans. Erbyn hyn roedd yr Harbwr yn gwbl wag o bobl a'r hin yn dechrau oeri. 'Doedd yr hers, na Jac Black y gyrrwr, yn unman yn y golwg. Wel, fe gymerai hi chwarter awr galed i William Howarth ymlwybro'n fflatwadan o'r cei i'w swyddfa heb gludiant.

Pan oedd Eilir yn dringo i fyny'r grisiau mawr ac yn edrych o'i ôl am gyfeiriad y môr gwelodd gwch bychan ar y gorwel. Cwch Jac Black oedd hwnnw, mae'n fwy na thebyg, a Jac yn ei elfen yn gollwng ei gewyll cimychiaid i'r dyfnfor wedi llwyr anghofio popeth am bob c'nebrwng – gwyn ei fyd – hyd nes y byddai Howarth yn galw am ei wasanaeth unwaith yn rhagor.

Rŵan, pa un o'r ddau frawd yn union oedd wedi marw? Ia, John David. O leiaf, roedd y ddau'n Lewis. Mae'n debyg y deuai popeth, a dyfynnu Howarth eto fyth, yn llawer cliriach, i un ac oll, yn y man.

* * *

Erbyn bore'r angladd, wedi peth gwaith ymchwil ychwanegol, llwyddodd Eilir i lunio gair byr o deyrnged, taclus ddigon. Serch iddo ddilyn awgrym Cwini Lewis ac ymgynghori â John Wyn, y Cofrestrydd Lleol, ychydig o wybodaeth fuddiol a gafodd gan hwnnw.

'Holi am Dora *Ever-green* ydach chi? Dynas goman os buo yna un 'rioed. Fydda' gofyn i bob dyn parchus roi clo clap ar 'i fresus cyn dŵad o fewn canllath iddi. Ma' nhw'n deud bod hinsawdd foesol Porth yr Aur yma wedi codi unwaith y daru hi hel 'i thraed am y Sowth 'na. Ond mi ddeuda' i un peth am y dyn hwnnw aeth yn ffres hefo hi, hwnnw cartiodd hi i'r Sowth, oedd o'n gwerthu brwsus gwerth 'u prynu – nid rhyw bethau neilon fel gewch chi heddiw a'u blew nhw'n sigo ar y brwsiad cynta'.'

'Ond mi roedd John David Lewis, 'i mab hi, yn bregethwr cynorthwyol.'

Daeth amheuaeth i lais y Cofrestrydd. 'Hwnnw oedd y pregethwr? Ia, debyg. Ro'dd yr hen Dora yn mynnu rhoi yr un enw ar bob un, fel 'tasa nhw'n set o stampiau post. Fu bron i mi golli fy job ar 'i chownt hi. Ro'dd rhyw swyddog tua Llundain 'na yn mynnu 'mod i wedi cofrestru'r un babi ddwywaith drosodd. Mi clywis i o unwaith tua'r Capal Sinc 'na, pan oedd o'n dechrau pregethu. 'Tasa rhywun yn chwilio conglau pella'r greadigaeth hefo chwyddwydr fasa' chi yn ca'l hyd i ddim byd salach.'

Ond un fel'na oedd Ysgrifennydd Capel y Cei, â'i lach ar bawb, ond yn ddigon caredig ei galon fel y gwyddai Eilir o brofiad.

Bu trefnu'r te angladd ar gyfer y galarwyr yn anos gwaith. I osgoi'u cyfrifoldeb penderfynodd Blaenoriaid y capel drosglwyddo'r mater i is-bwyllgor, yn cynnwys Ysgrifennydd a Thrysorydd yr Eglwys a dwy o'r blaenoresau.

'Pa amsar ma'r Gwasanaeth, Mistyr Thomas?' holodd Meri Morris, Llawr Tyddyn, y wraig ffarm ymarferol.

'Am dri, i fod. Mi ddylan fod yn ôl o'r fynwant ac wrth y byrddau cyn pedwar.'

'Wel mi fydd yn rhaid i mi fod yn ôl yn Llawr Tyddyn 'cw cyn pump i helpu William hefo'r godro. Ond mi 'na i be' fedra' i.'

'Diolch i chi.'

'Fasa dim gwell i ni 'u bwcio nhw i mewn i'r Afr Aur a phob un i dalu am 'i fwyd 'i hun?' holodd Huw Ambrose, deintydd yn y dref a Thrysorydd yr Eglwys. ''Does gynnon ni ddim gormod o arian wrth gefn ac mi ddaw yna fil braf arall o Gaerdydd cyn diwadd y chwartar.' Ond arall, yn wir, oedd gwrthwynebiad y deintydd. 'Hefo dant llygad Cwini Lewis y ce's i fwya' o hambyg 'rioed. Oedd o mor sownd nes torrodd o'r efail, a rŵan ma' plant 'i phlant hi acw bob lleuad isio i mi dynnu 'u dannadd nhw ar y *National Health*.'

'Ond fedrwch chi ddim gwrthod cymwynas i bobol yn 'u galar beth bynnag ydi 'u cymhellion nhw.' Un dda oedd Dyddgu, mam ifanc a chanddi bedwar o blant, ond bob amser yn garedig ei hysbryd. 'Yn ôl ein gweithredoedd ni ma' nhw yn'n barnu ni, cofiwch. Ylwch, mi gwciai dipyn o gacennau ar 'u cyfar nhw ac mi geith Glyn gadw cow ar y plant i mi tra bydda' i wrthi.'

Bu hunanaberth Dyddgu yn ddigon i gyffwrdd calon y Trysorydd a pheri iddo ddatod ychydig ar linynnau'r pwrs. 'E'lla basa' hi'n bosib' i mi roi cyfraniad at y bwyd o Gronfa'r Fynwant wrth ma' sôn am de c'nebrwng ydan ni.'

'Dyna ni 'ta,' meddai Meri Morris, 'mi a' innau ati i baratoi baich o frechdanau ar 'u cyfar nhw. Fasa' past samon yn g'neud ar 'u gwynebau nhw, Mistyr Thomas, ac amball i frechdan ŵy?'

'Faswn i'n meddwl, ond mi roedd Mistyr Lewis yn awgrymu y dylan ni baratoi pryd cyllall a fforc ar 'u cyfar nhw, wrth bydd gynnyn nhw daith bell yn ôl.'

Wfftiodd yr is-bwyllgor fel un gŵr.

'Be'?'

'Pryd cyllall a fforc ddeutsoch chi?'

'Dyna be' ydi digywileidd-dra!'

'Ma' pagan fel'na yn lwcus ar y naw ein bod ni'n fodlon paratoi bwyd o gwbl.'

'Doedd Ffydd loyw Dyddgu ddim yn ymestyn mor bell â haelioni felly. ''Tasa' fo ddim ond yn meddwl am yr holl drueiniaid yn'n byd ni sy'n marw o newyn. 'Dw' i'n dechrau 'dyfaru 'mod i wedi addo cacan iddyn nhw o gwbl. I be' ma'r byd 'ma'n dŵad deudwch?'

Gadawyd Dyddgu a Meri Morris i gowntio faint o dorthau a fyddai'n angenrheidiol ac i benderfynu ar ba awr o'r dydd y dylid cynnull y gwragedd ynghyd.

'Well i minnau drio bod yn bresennol yn y Gwasanaeth,'

ebe John Wyn, wrth fynd allan o'r festri wedi'r pwyllgor. 'Fyddwn i wrth fy modd 'stalwm yn mynd i'r Cwt Chwain fel y byddan ni'n galw'r lle, yr hen Neuadd Goffa, i weld Speic yn reslo. Gin i go' byw iawn amdano fo'n rhoi 'i benglin ar beipan wynt rhyw reslar tywyll 'i groen, nes oedd y grefi browning oedd hwnnw wedi'i blastro dros 'i gorff yn toddi'n un afonydd a gwyn 'i groen o'n dŵad i'r golwg. Ia, un da am fryntni oedd yr hen Speic pan oedd o'n 'fengach.'

* * *

Pan oedd Eilir yn dringo'r pwt rhiw i gyfeiriad Capel y Cei, ddydd yr angladd, sylwodd ar hers yr Ymgymerwr wedi'i pharcio o fewn pellter gweddus i'r capel a Jac Black yn eistedd yn sedd y gyrrwr. Roedd Howarth ei hun yn nes ato na'r hers, yn pwyo'r palmant, yn ôl a blaen, fel rhyw lew rhuadwy wedi'i gaethiwo i gaets. Pan gyrhaeddodd y Gweinidog ato roedd o'n fyr ei wynt a pheth yn gynhyrfus.

''Does yna ddim sôn, Mistyr Thomas bach, am nag arch na ch'nebrwng.'

'E'lla 'i fod o'n dal yn fyw,' awgrymodd y Gweinidog i geisio sirioli pethau.

'Wel nagydi, gobeithio. Finnau wedi trefnu'r c'nebrwng 'ma ar 'i gyfar o. Heblaw be' ddaw o'r bwyd yn y festri? Mi eith hwnnw i gyd yn wast.'

'Wel ia, ma' rhai o'r merched yma ers ben bora.'

Tynnodd Howarth wats boced o boced ei wasgod a rhythu i'w hwyneb. 'Ma' hi wedi troi tri yn barod.' Gwthiodd y wats yn ôl i'r un boced. 'Fel'na ma' ymgymerwyr y Sowth 'na, Mistyr Thomas, fedrwch chi ddim rhoi wyau dan ben ôl yr un ohonyn nhw.' 'Fûm i'n trio g'neud busnas hefo un neu ddau ohonyn nhw o'r blaen, a 'does 'na ddim hîd arnyn nhw.'

Sylwodd Eilir fod Jac wedi dod allan o glydwch yr hers a'i fod o'n chwifio'i freichiau i'w cyfeiriad nhw, fel bwci mewn rasus ceffylau.

'Dw' i'n credu, Mistyr Howarth, fod Jac yn ceisio anfon

neges i chi. Er dw' i'n siŵr y basa' hi'n llai o straen arno fo i gerddad tuag atoch chi – ne' anfon c'loman.'

Anwybyddodd William Howarth y smaldod. 'Rhywun sy'n fy ngalw i ar ffôn yr hers,' a phydru'n fyglyd i fyny'r pwt allt a'r Gweinidog yn ei ddilyn. 'Well i chi ddŵad hefo mi at ymyl yr hers, Mistyr Thomas, rhag ofn y bydd yn rhaid i mi ych consyltio chi.'

'Pnawn da. William Howarth yn siarad.'

'*Howarth, boyo, I'm in a spot of bother see.*'

'*Who's there?*' cyfarthodd yr ymgymerwr yn flin, fel petai o'n filwr ar ddyletswydd.

'*Oh! It's Dick the Death, as they call me in* Cilfynydd, *the local undertaker.*' Brysiodd Howarth i roi'i law dros y teclyn ffôn. '*How are you, Billy?*' ychwanegodd hwnnw wedyn, yn glywadwy uchel.

'*It's not how I am, but where are you? And don't call me Billy.*'

Tybiai Eilir ei fod o'n clywed sŵn canu corawl rywle yn y cefndir.

'*I'm still stuck at the Pheasant and Hound, see.*'

'*What? But that's a long way from Porth yr Aur.*'

'*As this it was. The ladies wanted to pass water, see, an' the boyos wanted to wet their whistles, so we stopped for a knees-up and now I can't get them started see.*'

Ymestynnodd William Howarth at y ffenestr agored i roi'r neges i'r Gweinidog. 'Ymgymerwr y Sowth sy'na. Mae o . . .'

'*We'll keep a welcome in the hillside,*
We'll keep a welcome in the vales . . .'

Tagodd yr Ymgymerwr y côr meibion drwy roi'i lawes dros y ffôn a hanner cau ffenestr yr hers.

'Ydi yr hen Wil Dim Llosgi wedi rigio *hi-fi* yn yr hers ne' rwbath?' holodd un o gefnogwyr Speic a hanner orweddai ar reiliau ffrynt Capel y Cei gyda chymdeithion y 'Fleece', yn cael smôc.

Aeth yr Ymgymerwr yn ôl at y ffôn. '*Yes?*'

'*But as you may hear they're being kicked out at this very moment. We'll be with you, boyo, in a jiffy.'*

'*In a what?*' a thybiodd William Howarth am eiliad fod *Dick the Death* yn cludo'r arch mewn rhywbeth gwahanol i hers.

'*In a flash, I mean. Just that the ladies want to pass water one more time.*'

'*But what about me here? My good name is in danger.*'

'*See you soon, Bill.*'

Fel roedd Howarth yn trosglwyddo'r ffôn o'i geg i'r crud caed datganiad anweddus arall gan y côr meibion.

'*This land of song will still be singing*
When you come home again to Wales . . .'

Bustachodd yr Ymgymerwr i ddod allan o ffrynt yr hers, yn fyrrach ei wynt nag o'r blaen ac yn wirioneddol bryderus y tro hwn. Dechreuodd roi ordors i bawb oedd o fewn hyd braich iddo, 'Mistyr Thomas, ewch chi i mewn at hynny o gynulleidfa sy' 'na, i geisio egluro'r amgylchiadau iddyn nhw.'

'Reit.'

'Hwyrach ma' peidio â deud y gwir fasa'r gorau, am y tro.'

'O?'

'Deudwch wrthyn nhw y daw pethau'n gliriach i ni, un ac oll, yn y man. A thriwch warchod fy enw da i o flaen popeth arall.' Trodd at ei law dde, 'Jac, 'ngwas i, gei dithau fynd at y riff-raff sy'n hongian wrth y reilings 'na i ddeud wrthyn nhw am gym'yd smôc bach arall, a chym'yd digon o amsar hefo hi.'

'Iawn, giaffar.'

'Fyddan yn dallt dy iaith di yn well nag un y Gw'nidog. A Mistyr Thomas!' pan oedd y Gweinidog yn camu dros drothwy'r capel.

'Ia, Mistyr Howarth?'

'Fasach chi mor garedig â mynd drwodd i'r festri, yn union wedyn, a gofyn i Meri Morris baratoi dau debotiad o goffi, a hwnnw y peth cryfa' posib', rhag ofn bydd y galarwyr pwysica' wedi meddwi'n dwll. Diolch i chi.'

Cafodd y Gweinidog osgoi'r gorchwyl anodd o egluro'r

amgylchiadau i'r gynulleidfa a gwneud hynny, fel yr awgrymodd Howarth, ar ddamhegion, gan fod Speic Lewis yn dod allan i'w gyfarfod, yn frest i gyd, ac yn awyddus iawn i wybod beth oedd achos y fath oedi.

'Gwrandwch, Jenkins, be' 'di'r rheswm am y dilê 'ma?' yn union fel petai o ar blatfform stesion yn holi am drên oedd ar ôl ei hamser.

'Thomas,' sisialodd Cwini oedd wedi sleifio allan wrth ei gynffon o.

'Y?'

'Thomas ydi'r peth yma.'

'O ia, Jenkins oedd enw'r peth cynt, 'ddrwg gin i Cwîn.' Trodd yn ôl i wynebu'r Gweinidog a thorsythu, 'Nefar meind yr enw, frawd, pam ma' gweddillion Yncl John Defi mor hir yn landio? A dw' i'n siarad ar ran y teulu cyfa' dalltwch.'

'Wela' i.'

'A pheth arall, ma' Madeline, y ferch 'fenga 'cw, yn diw i roi bron i'r babi unrhyw funud.'

O sylwi ar seis Speic Lewis a chraffu ar y bryntni yng ngwyn ei lygaid o penderfynodd y Gweinidog mai llwybr cachgi fyddai'r diogelaf iddo o ddigon. 'Well i chi holi Mistyr Howarth, y fo sy' wedi ca'l y manylion.'

'Wil Dim Llosgi!'

'Howarth ma' pawb yn 'y ngalw i, ond y wraig 'cw. A William ydw i iddi hithau.'

'Rŵan, cyt ddy comics, 'c'ofn i mi roi'r strangl Gymreig i ti. Honno fydda'n 'u llorio nhw pan fyddwn i'n reslo 'stalwm.'

Dechreuodd y cymdeithion oedd yn hongian wrth reiliau'r capel borthi'u cymeradwyaeth. Am gymorth Speic y byddai MacDougall y 'Fleece' yn galw pan fyddai hi'n nos Sadwrn anoddach nag arfer; byddai'r cynhebrwng yn un cofiadwy petai Speic yn plygu braich William Howarth nes ei bod hi tu ôl i'w wegil o ac yna yn ei luchio fo i'r llwyn rhododendron gerllaw.

'Wil!' arthiodd Speic Lewis drachefn, 'be' ydi'r oedi mawr

'ma? Rho dy gardiau ar y bwr' y feri munud 'ma.'

'Mi fydda' Yncl John Defi yn cyrra'dd i bobman mewn pryd,' pynciodd Cwini, 'ac ma' hi'n od gythra'l 'i fod o'n hwyr yn 'i g'nebrwng 'i hun.'

Sylwodd Eilir fod yr Ymgymerwr mewn congl eithriadol o gyfyng, a hynny yng ngŵydd cynulleidfa anghyfeillgar, ond daeth allan o'r gongl honno yn eithriadol o lwyddiannus.'

'Y cwbl fedra' i 'neud hefo chi, Mistyr Speic Lewis, frawd, dan yr amgylchiadau, ydi trio perswadio'r ymgymerwr 'na o'r Sowth i roi deg y cant o ddiscownt ar 'i fil o i mi, fel y medra' innau roi'r un discownt ar ych bil chithau.' Cododd ei lais, 'Fasa' chi, Mistyr Thomas, yn mynd dros rai tonau o'r Detholiad hefo hynny sy' 'na o gynulleidfa, ac mi a' innau i gefn yr hers hefo Mistyr Lewis 'ma i drio gweithio allan y discownt.'

* * *

'Frodyr a Chwiorydd,' a chododd y Gweinidog ar ei draed i draddodi'r coffâd y bu'n ei baratoi, 'ga' i yn y lle cynta' gydymdeimlo â theulu'r diweddar John David Lewis yn y brofedigaeth sydd wedi dod i'w rhan nhw ac yn arbennig felly â'i weddw o, Musus Lewis, ac â'i frawd o, Mistyr David John Lewis, y ddau fel rydw' i'n deall yn bresennol hefo ni'r pnawn yma, ac â holl gysylltiadau'r teulu . . .' a chyda chil ei lygaid sylwodd Eilir ar Speic Lewis, a oedd yn eistedd gyda'i deulu lluosog yn y sedd flaenaf un, yn curo'i frest â'i ddwrn fel gorila yn begio am fanana ychwanegol, a deallodd y neges, '. . . ac â Mistyr Speic Lewis, Llanw'r Môr, nai y diweddar John David Lewis, ac â phob nai neu nith arall sy'n teimlo min y brofedigaeth.'

Cynulleidfa fechan o alarwyr oedd wedi teithio i fyny o Gilfynydd wedi'r cwbl, ugain i bump-ar-hugain ar y mwyaf, serch i Cwini Lewis orchymyn i ferched y capel baratoi ar gyfer o leiaf gant a hanner. A chyfri gweddill y gynulleidfa, yn cynnwys cymdeithion Speic, merched y te angladd,

Ysgrifennydd a Thrysorydd Capel y Cei ac un neu ddau a ddaeth yno i sbecian, prin drigain oedd yno i gyd.

'Y pnawn yma, Frodyr a Chwiorydd, y mae'r diweddar John David Lewis yn dychwelyd i'w hen gynefin, i'r dre lle y'i maged. Roedd ei fam, y ddiweddar Musus Dora Lewis, a'i lystad o, y diweddar . . .' a thaflodd Eilir gip sydyn ar y papur oedd o'i flaen, 'y diweddar Basil Humphreys . . .'

'*Basil Brush*,' promtiodd un o'r galarwyr o'r De.

'Sut?'

''Na fel o'dd pawb yn 'i nabod e sha Cilfynydd 'co.'

'Wela' i.'

'Gwerthu brwsus o'dd 'i waith e 'ti'n gweld.'

Aeth y Gweinidog ymlaen â'i deyrnged. 'Fel ro'n i ar fin egluro roedd gan Dora a Basil gysylltiad cynnes iawn ag Elim, y Capal Sinc, fel y byddwn ni'n arferol yn cyfeirio at y lle . . .'

'*Sink Chapel*,' ebe'r parot drachefn ac aeth amryw i chwerthin.

'Pardwn?'

'Gweud wrth Wilbert fan hyn taw *Sink Chapel* 'ti'n galw'r lle. Smo'r boio'n deall Cwmra'g 'ti'n gweld.'

'Wela' i. Diolch i chi.'

Penderfynodd y Gweinidog y byddai'n ofynnol iddo gynilo y blawd yn y celwrn os oedd y deryn o'r De yn mynd i ymhelaethu ar bob brawddeg o'i eiddo. Bu'r oedfa yn un anodd o'r dechrau. Canu gwan a gafwyd yn ystod y defosiwn ar ddechrau'r gwasanaeth, a thra roedd Eilir yn gweddïo clywai ag un glust blant i blant Speic a Cwini Lewis yn sgriffinio'r farnais wrth ymdrechu i sgwennu'u henwau ar seti'r capel.

'Wedi sôn am **gefndir** ein cyfaill, ga' i, yn ail, gyfeirio at 'i **gyfraniad** o. Hoff waith y diweddar John David Lewis oedd pregethu'r Gair. Crwydrai ymhell ac agos o gapel i gapel i bregethu'r Efengyl ac yn arbennig felly gydag enwad y Bedyddwyr oedd mor agos at ei galon o.'

Dyna'r pryd y sylweddolodd Eilir fod y gwifrau wedi croesi yn rhywle. Pan gyfeiriodd at John David Lewis y 'pregethwr' daeth syndod i wynebau y cyfeillion o'r De, y rheini oedd yn deall yr iaith Gymraeg. Ond, fel nofiwr wedi mynd yn rhy bell allan i droi'n ôl 'doedd ganddo yr un dewis ond ceisio mynd yn ei flaen nes cyrraedd glan arall.

'I gloi, gan fod yr amser yn cerdded, ga' i sôn yn fyr iawn am ei **gymeriad** o. Yn ôl y wybodaeth a ddaeth i law, roedd ein diweddar gyfaill yn frwd iawn ei wrthwynebiad i bechodau'r oes, yn ddirwestwr selog, yn garwr heddwch a thangnefedd ac yn gwbl deyrngar i'w wraig a'i deulu. Yn wir, John David Lewis, yn ôl Mistyr Speic Lewis, ei nai, oedd un o'r dynion gorau i gerdded strydoedd Cilfynydd erioed . . .'

Dechreuodd trigolion Cilfynydd a oedd yn bresennol drydar eu hanghrediniaeth ond methodd y parot ag ymatal; trodd at ei gyfaill a dweud yn uchel, '*Wilbert, boyo, there's been a cockup somewhere, for sure.*'

A dyna'r foment y penderfynodd y Gweinidog, nid yn unig ei bod hi'n bryd i gynilo rhagor ar y blawd yn y celwrn ond ei bod hi'n amser i roi heibio'r tylino yn ogystal.

* * *

Cwmni llawer llai a ddaeth i hebrwng gweddillion Yncl John Defi at y bedd agored ym mynwent y capel – Howarth, rhai o ferched y te angladd, un neu ddau o drigolion Porth yr Aur a âi i bob claddu, brawd yr ymadawedig a'r sbif o ymgymerwr o Gilfynydd a edrychai'n debycach i ganwr roc na dim arall – roedd John Wyn wedi dychwelyd i'w swyddfa i gofrestru un a aned pan oedd John David yn croesi; Ambrose, y deintydd, wedi brysio'n ôl i'w syrjyri i dynnu dant un o blant i blant Speic a Cwini Lewis oedd wedi cael pwl o'r ddannodd adeg y coffâd, a'r galarwyr o'r De wedi ffoi am y 'Fleece' hefo Speic a'i wraig i gael dracht neu ddau o rywbeth cryfach na the a brechdan ŵy cyn dychwelyd i'w cynefin. Gwasanaeth byr a gafwyd.

'Mistyr David John Lewis, ia?'

'Ie.'

'Ga' i gydymdeimlo hefo chi?'
'Diolch yn fowr i chi, Mistyr Jenkins.'
'Thomas ydw' i.'
'Ma'n ddrwg 'da fi. Speic, nai i fi, fo 'wedws wrtho i taw Jenkins o'ddech chi.'
A bu bron i Eilir ychwanegu mai'r 'peth oedd gynnyn nhw o'i flaen o' oedd yn Jenkins, ond ymataliodd. 'Mi hoffwn i gael ysgwyd llaw yn ogystal â Musus Lewis, y weddw, os ydi hi'n dal yma.'
''Sdim gweddw i ga'l, Mistyr Thomas bach.'
'O!'
'Byw 'dag e o'dd Bronwen.'
'Wela' i.'
'A do'dd dim plant 'da mrawd.'
'Yn naturiol.'
'Wel . . . m . . . shwt gweda' i nawr . . . m . . . o'dd dim plant 'dag e'n swyddogol. Ond, yn anffodus w, o'dd 'dag e nifer mowr o rai answyddogol i ga'l. Cwrw, *drink*, Mistyr Thomas bach, 'na un o ddryge mowr y dydd ac 'wy' i wedi pregethu yn 'i erbyn e ar hyd 'n oes. Ond i ddim pwrpas w.'
'Tewch.'
'Fu'n rhaid i ni oedi ar y ffordd lan i'r bois ga'l ufed a nawr ma' nhw wedi myn' i dafarn arall. Ond 'na fe, fydde 'mrawd druan uwchben 'i ddicon.'
Cychwynnodd y ddau gerdded i gyfeiriad festri'r capel.
'David John Lewis ydach chi?'
'Ie siŵr, Dai 'w i. Jac o'dd 'y mrawd, chi newy' i gladdu fe nawr.'
'Ac mi roedd yntau, fel chithau, yn bregethwr?'
Gollyngodd David John ochenaid ddofn, 'O'dd 'y mrawd i ddim yn gapelwr ond o'dd e'n gyfarw'dd â phob clwb a thafarn drwy Gwm Cynon a'r ddou Gwm Rhondda.'
Dyna'r pryd y daeth pethau'n gliriach i'r Gweinidog. Sylweddololodd o ei fod o wedi claddu'r byw a rhoi coffâd am un oedd eto'n aros.

'Ac o'dd e'n gamblo h'ed.'

'Ond 'doedd y pethau ddeudis i am ych brawd pnawn 'ma ddim yn hollol wir, felly?'

'Sa'i wedi clywed shwt anwiredd ariôd. Ond, 'na fe, fydde Bronwen, y *fancy lady* 'na o'dd 'dag e, wedi teimlo'n rial prowd.'

'Ond dibynnu ar y wybodaeth ges i gin Mistyr Speic Lewis 'wnes i.'

'Jiw, 'na gythrel arall!'

'Felly dw' innau wedi amau,' atebodd y Gweinidog a'i grib wedi'i dorri i'r byw.

Daeth William Howarth i'w cyfarfod i ben y llwybr yn llawen iawn ei ysbryd ac yn anadlu'n gwbl naturiol.

'Sudach chi, frawd?' wrth Defi John.

'Wy' i'n burion, diolch i chi, a 'stiried yr amgylchiade. Gw'nidog y'ch chi?'

'*Undertaker!*' atebodd Howarth, wedi ei glwyfo gan y camadnabod.

'O, ma'n ddrwg 'da fi.'

'Ma' gin i ofn, Mistyr Howarth 'mod i wedi g'neud hwch o bethau pnawn 'ma.'

Ond 'doedd y cawl a wnaeth y Gweinidog ddim yma nac acw yng ngolwg yr Ymgymerwr. 'Well bo' chi wedi deud pethau da amdano fo o lawar na phethau drwg, Mistyr Thomas. Fasa' deud gormod o wir wedi g'neud drwg i 'musnas i.'

Meddyliodd Eilir am y gwragedd druan wedi chwysu i baratoi te crand i gryn gant a hanner a dim ond llond llaw yn mynd am y festri.

'Ond, Mistyr Howarth, be' am yr holl fwyd 'ma fydd yn mynd yn ofar?'

'Gyntad byth ag y bydd pawb wedi hel 'u traed dw' i am roi y baich brechdanau sbâr yng nghefn yr hers.'

'O?'

'A mynd â nhw i fyny i ffarm mab yr hen Ifan Jones. Mi

’nan swpar i’r moch.’

Trodd William Howarth at ei Weinidog, yn hanner cyfrinachol a sibrwd, ‘Os a’ i â’r hen Ifan hefo mi hwyrach y medra’ i wasgu papur degpunt o groen ’i fab o yn dâl am y crystiau. Faswn i’n medru g’neud bil y brawd Speic Lewis yn llai o gymaint â hynny.’

‘Ond, Mistyr Howarth, merched y capal sy’ wedi rhoi y rhan fwya’ o’r bwyd,’ plediodd y Gweinidog, ‘a’r capal sy’ wedi talu am y gweddill.’

Ond roedd yr Ymgymerwr yn fyddar i sylw o’r fath. Cydiodd ym mraich David John a’i arwain yn ddefosiynol am y festri, ‘Dowch, frawd, mi ddaw pethau’n gliriach i ni, un ac oll, yn y man.’

* * *

Fisoedd yn ddiweddarach, a hithau erbyn hyn yn ganol Ionawr, a’r stori am goffâd anghymharus Gweinidog Capel y Cei wedi hen lyncu’i phen a chamwri rhywun arall yn fêl ar dafodau trigolion Porth yr Aur, roedd Eilir yn ei stydi yn tacluso pregeth at y bore Sul canlynol pan ganodd cloch y drws ffrynt. Ceinwen aeth i agor. Toc daeth i fyny’r grisiau’n frysiog ac agor drws y stydi.

‘Eil, ma’ ’na rhyw foi wedi landio yn y drws ffrynt ’na.’

‘Ia?’

‘Isio gair hefo chdi, medda’ fo, yn reit sydyn.’

‘Sut foi ydi o?’

‘Horwth o beth mawr, a’i grys o’n ’gorad at dop ’i felt o er ’i bod hi’n gythgam o oer. ’Does gin i ddim llai na’i ofn o.’

‘Wel ddeudodd o be’ oedd ’i neges o?’

‘Cwyno am ryw fil claddu ma’ Howarth wedi’i anfon iddo fo.’

A dyna’r foment y rhoddodd Eilir ddau a dau wrth ei gilydd i wneud pedwar. ‘Ddaru o sôn o gwbl am ddiscownt, Cein?’

‘Do, a deud ’i fod o’n meddwl ma’r capal ddyla’ ffwtio’r bil i gyd wrth ma’ nhw drefnodd y peth.’

'Speic Lewis, 7 Llanw'r Môr, ydi'r ymwelydd. Reit mi ddo' i i ga'l gair hefo fo.' Cododd y Gweinidog a chau'r Beibl oedd ar y ddesg o'i flaen. 'Wyddost ti be' oedd adnod y testun at bore fory?'

''Sgin i ddim syniad. Ond dw' i'n gw'bod 'i bod hi'n ddeifiol o oer i'r dyn 'na sy' ar step drws, ac na fydd oedi rhagor yn ddim help i'w ysbryd o.'

'"Byddwch heddychlon â phob dyn . . .".'

'Wel, tria gofio hynny wedi mynd i'r drws ffrynt.'

Wedi cyrraedd canol y grisiau gwaeddodd y Gweinidog, 'Dowch i mewn, Speic Lewis!'

'Ddim diolch, Jenkins, setla' i'r sgôr hefo chi ar step drws.'

Trodd Eilir i wynebu Ceinwen, oedd yn dilyn o'i ôl, a sibrwd, 'Well i mi ddyfynnu'r adnod yn llawn – "Byddwch heddychlon â phob dyn hyd y mae ynoch"!'

Y Lodjar

Ar y ffôn y cafwyd y newydd.

'Henri Rowlands a'i Feibion, Seiri Coed a Threfnwyr Angladdau, sydd yma.'

Bu bron i Eilir ychwanegu arwyddair y ffyrm – 'Os am arch i bara am oes, cysylltwch â. . .', ond ymataliodd.

'Bora da i chi.'

'Os g'newch chi ddal y lein am eiliad, Mistyr Thomas, yna mi ddaw Mistyr Rowlands 'i hun 'i ga'l gair hefo chi.'

'Diolch.'

Yn ystod y munudau y bu'n disgwyl am 'Mistyr Rowlands 'i hun' egrodd wyth mlynedd o weinidogaeth drefol mewn ychydig eiliadau a llifodd blynyddoedd gleision Carreg Boeth yn ôl i'w gof. Pwy o'r hen ffrindiau, tybed, oedd wedi croesi? Dyna fyddai'r neges. Wel, go brin fod Henri Rowlands, o bawb, wedi dechrau trefnu priodasau!

'Mae Mistyr Rowlands 'i hun ar 'i ffordd. Os medrwch chi ddal ymlaen am eiliad neu ddau eto.'

'Reit.'

Daeth chwa o gerddoriaeth drwy'r teleffon. Fel y ffyrmiau mawr, roedd gan Henri Rowlands fiwsig wedi'i ganio i ddifyrru'r cwsmeriaid oedd yn aros am ei bresenoldeb, y chwaeth yn unig oedd yn wahanol – cyfnither i'w wraig, wedi pasio'i phreim, yn canu 'Ar lan hen afon Ddyfrdwy ddofn'.

O leiaf, roedd yna ddigon o gynnydd ym marwolaethau'r fro i Henri fforddio ysgrifenyddes a cherddoriaeth.

Tagwyd yr unawd ar hanner pennill. 'Ydach chi'n fy nghlywad i, Eilir Thomas?'

Dawnsiodd y falerina a safai ar y silff ben tân yn feddw beryglus mewn ymateb i'r eco.

'Fel 'tasach chi yn yr ystafell 'ma hefo mi, Mistyr Rowlands,' a daliodd y Gweinidog y teclyn clywed gryn droedfedd ymhellach oddi wrth ei dwll clust.

'Hefo chwaer y wraig roeddach chi'n siarad gynnau.'

'O?'

'Ma' hi yma hefo ni am dipyn o wyliau.'

'Finnau'n meddwl mai'r busnes oedd wedi cynyddu gynnoch chi.'

'Na, ara' sobr ydi pethau,' a swnio'n ddigalon am fod pobl yn byw cyhyd. 'A 'dydi Pasg diweddar fel hyn fawr o help.'

'O?'

'Am ryw reswm ma'n well gin bobol ga'l y Pasg drosodd a marw wedyn.'

Wedi saib fer sioncodd y llais, beth. 'Ond ma' angau wedi bylchu'n rhengoedd ni yng Ngharrag Boeth 'ma, ac wedi dwyn un annwyl iawn oddi arnon ni. Mi gofiwch am Heidden Sur?'

Carlamodd ias oer i lawr asgwrn cefn y Gweinidog, ''Dydi Dafydd Robaitsh 'rioed wedi'n gadael ni?'

'Na, mae **o** yn dal i brancio hyd y lle 'ma fel ebol blwydd.'

'Ge's i fraw am eiliad.'

'Ei annwyl briod o, Sali Ann Roberts, fel y byddan ni'n arferol yn cyfeirio ati hi, hi, Eilir Thomas, sy' wedi'n goddiweddyd ni.'

'Be'?'

'Mi aeth, neithiwr, tua saith munud-ar-hugain i wyth, fel pinsio fflam cannwyll. Heddwch i'w llwch hi,' a gwnaeth Henri Rowlands fymryn o sŵn crio-i-hances i geisio argraffu ar y cyn-Weinidog ei fod o'n dal yn galon i gyd.

'Yn yr amlosgfa y buo'r gwasanaeth, Mistyr Rowlands?' holodd Eilir, yn gwbl ddiniwed am unwaith, wedi clywed Henri Rowlands yn cyfeirio at 'lwch'.

Gwylltiodd yr Ymgymerwr, ''Dydw i newydd ddeud wrthach chi ma' neithiwr buo hi farw!'

'Mae'n ddrwg gin i.' Penderfynodd newid trac, 'Yn yr ysbyty y buo hi farw?'

'Yn y capal.'

Cafodd Eilir sioc arall i'w gyfansoddiad. 'Ond welis i 'rioed mohoni hi yn y capal.'

'Naddo debyg. Ond wedi iddyn nhw ga'l y gw'nidog fanw 'na s'gynnyn nhw' – a chyfeirio'n ddifrïol at y ferch a olynodd Eilir – 'roedd hi wedi dechrau mynd ar Ddiolchgarwch a'r Pasg. Mi ddowch i'r angladd, Mistar Thomas?'

'Fydda' i ddim yn dŵad yn ôl i Garrag Boeth i g'nebrynau, fel y gwyddoch chi.'

'Wel ma' Defi, beth bynnag, yn gobeithio'n arw y dowch chi. Y fo ydi'r unig un yng Ngharrag Boeth 'ma fydd yn sôn gair am ych enw chi.'

'Pryd ma'r angladd?' holodd y Gweinidog yn ffwrbwt a'i grib wedi'i dorri gan sylw'r saer.

'Anodd deud. Eith yn ddydd Iau beryg'. Ma' Edwin Edwards y Felin . . . y . . . mi rydach chi'n 'i gofio fo?' ychwanegodd, fel petai Eilir wedi mynd i Tseina yn genhadwr yn hytrach nag yn weinidog i Borth yr Aur, ddeugain milltir i ffwrdd.

'Ydw'. Co' plentyn,' ychwanegodd yn ddireidus.

Anwybyddodd Henri Rowlands y smaldod.

'Wel mae o, yn garedig iawn, wedi cynnig rhoi gair o deyrnged i'n diweddar chwaer. Ac wrth fod yna fart bnawn Merchar ma' Edwards yn awyddus iawn i ni oedi tan ddydd Iau.'

'Wela' i.'

'Dyna ni 'ta, mi geith chwaer Musus ych ffônio chi, eto.'

'Wel, deudwch 'mod i'n dymuno gwyliau dedwydd iddi hi, beth bynnag.'

'Fydda' hithau'n mwynhau'i gwyliau'n fwy 'tasa hi'n prysuro peth.'

Wedi cael ei faen ei hun i'r wal roedd Henri yn awyddus i symud ymlaen at orchwylion eraill cyn gynted â phosibl.

'Well i mi 'i throi hi rŵan. Ma' hen wraig Pwll Pompran wedi dal niwmonia ac mi rydw' i'n awyddus i ga'l gwbod os ydi hi wedi gwaethygu ai peidio. Ma' Musus Thomas mewn symol iechyd gynnoch chi?' ychwanegodd, ond yn swnio fel petai o'n gobeithio am ateb i'r gwrthwyneb.

'Ydi, diolch.'

'O! Wel, bora da rŵan, Eilir Thomas.'

* * *

Er bod y Pasg yn un diweddar roedd y tywydd yn ddeifiol o oer a chyllell o awel fain yn trywanu at fêr yr asgwrn. Ond fel roedd y galarwyr yn dynesu at y bedd daeth llwynog o haul gwyn allan a goleuo'r fynwent i gyd.

'"Paid ag ofni; myfi yw'r cyntaf a'r olaf, a'r Un byw; bûm farw, ac wele yr wyf yn fyw byth bythoedd, ac mae gennyf allweddau Marwolaeth a Thrigfan y Meirw".'

Safai Dafydd Robaitsh, Heidden Sur, ar lan y bedd agored a'i law wledig, fawr yn cydio yn llawes costiwm Bella Stock,

Y Gors Haidd, ei gymdoges agosaf. Gofidiai Eilir fod honno wedi dod â'r *chow-chow* marc dau i'w chanlyn, a hynny i angladd. Fodd bynnag, safai'r ast yn sifil ddigon ar lan y bedd, rhuban du pwrpasol am ei gwddf, a'i chynffon yn siglo i gyfeiliant y darlleniad.

'"Deng mlynedd a thrigain yw blynyddoedd ein heinioes, neu efallai bedwar ugain trwy gryfder, ond y mae eu hyd yn faich a blinder, ânt heibio yn fuan, ac ehedwn ymaith. Felly dysg i ni gyfrif ein dyddiau i ni gael calon ddoeth".'

Safai y Barchedig Llio Meredudd ar y dorlan arall, gyferbyn â'r hen ŵr – ei gwallt melyn potel yn disgyn yn dorchau cyrliog dros ei hysgwyddau, a hyd at y meingefn bron, a'r gwynt yn gwneud ei orau glas i gwtogi rhagor ar sgert a oedd eisoes yn anarferol o fer i angladd cefn gwlad ond roedd hynny, mae'n amlwg, yn help i ddenu pobl ifanc. Safai nifer dda o feibion ffermydd cyhyrog yn styciau yma ac acw ar hyd a lled y fynwent, yn eu siwtiau parch, ond heb gotiau uchaf, a phob un yn gwrando'n gegrwth ar y ferch o weinidog.

'"Yna gwelais nef newydd a daear newydd; oherwydd roedd y nef gyntaf a'r ddaear gyntaf wedi mynd heibio, ac nid oedd môr mwyach . . .".'

Cydiodd Ceinwen yn dynnach ym mraich ei phriod a hanner pwyntio â'i phen i ddangos Dafydd Robaitsh yn anterth y storm yn siglo'i ofid uwchben yr arch ac yn beichio crïo.

'"F . . . Fe sych Duw bob deigryn o'u llygaid hwy, ac ni bydd marwolaeth mwyach, na galar na llefain na phoen. Y mae'r pethau cyntaf wedi mynd heibio".'

Teimlai Eilir i'w olynydd yng Ngharreg Boeth arwain y Gwasanaeth yn Siloam gydag urddas a doethineb a hynny o dan amodau digon anodd. Wedi i Eilir ddarllen rhan o'r bennod olaf o Lyfr y Diarhebion – math o salm foliant sy'n dathlu rhinweddau y 'Wraig Fedrus' – galwyd ar Edwin Edwards ymlaen i draddodi teyrnged i'r ymadawedig. Fel y gwyddai Eilir, o chwerw brofiad, roedd gan y Felin fwy o ddawn nofelydd na chofiannydd, a chymryd fod ganddo ddawn o gwbl, a bu wrthi am hanner awr a deng munud yn tadoli i Sali Ann gatalog o rinweddau na bu erioed yn berchennog arnyn nhw.

'Fel y gwyddom ni, un ac oll, roedd ein diweddar chwaer, Sali Ann Roberts, yn hiraethu, ie, yn blysio am gynteddau yr Arglwydd.'

Prin iawn fu archwaeth Sali Ann at y cynteddau, yn ôl adnabyddiaeth Eilir ohoni, a'i phleser pennaf fu llithio'r lloeau a rhoi bwyd yn ei bryd i Dafydd Robaitsh.

'Fe fyddai ein diweddar chwaer, fel y gwyddom ni un ac oll, wedi gwneud mam ragorol 'tasa hi wedi priodi rhywun nes at 'i hoed.'

Er bod ei gefn at y bobl gwelai Eilir y gynulleidfa yn suddo i ddyfnder y seddau pîn dan faich ei chywilydd. Hwyliodd Edwards yn nes fyth eto i'r gwynt. 'Yn anffodus, roedd ei hannwyl briod, David Roberts, fel Abraham gynt, wedi mynd "yn hen ac wedi myned yn oedrannus" cyn yr uniad ac o'r herwydd ni chafodd hi blant.'

Llaciwyd peth ar yr awyrgylch pan drodd Dafydd Robaitsh at un o'r perthnasau pell, a wthiwyd i'r un sedd ag o, a dweud yn gyhoeddus glywadwy, ''Dydi Edwards 'ma'n annuwiol o hir.'

Wedi'r angladd, roedd ardal gyfan, hen ac ifanc, yn mynnu lapio'u cydymdeimlad am yr hen ŵr ac nid heb ymdrech y llwyddodd Ceinwen ac Eilir i gyrraedd i'w wyddfod.

'Ddrwg calon gin i, Dafydd Robaitsh, am ych collad fawr chi.'

'A finnau, hefyd,' ychwanegodd Ceinwen gan ei dynnu i'w chesail yr un pryd.

'Y beth bach ffeindia wisgodd esgid erioed, Musus Thomas.'

'Mi wn i hynny'n iawn.'

''Doedd yna neb ffeindiach na Sali Ann,' eiliodd Eilir.

'Cofiwch, Dafydd Robaitsh,' pwysleisiodd Ceinwen, yn afradlon ei charedigrwydd, 'fydd yna groeso ichi acw hefo ni, ym Mhorth yr Aur, unrhyw amsar.'

'Diolch i chi,' atebodd yr hen ŵr yn llesg, 'ond yn fa'ma',' a throi drach ei gefn i gyfeiriad y bedd, 'yn fa'ma, hefo Sali Ann, y bydda' i'n trigo gyda hyn. Mi ddowch ych dau i dalu'r gymwynas ola' i minnau?'

'Wel . . . m . . . 'dan ni am 'i throi hi rŵan, Dafydd Robaitsh,' ebe Eilir, mewn ymdrech i droi trwyn y stori i gyfeiriad iachach ac i osgoi dangos ei deimladau yng ngŵydd pobl, 'mae yna gant a mil o bethau yn disgwyl amdanon ni ym Mhorth yr Aur.'

'*Poor David*,' sibrydodd Bella Stock, mewn bas trwm, a'i bysedd ewingoch yn cydio fel cranc ym môn braich yr hen ŵr. '*Down Chi-chi!*' fel yr oedd yr ast ganpwys yn mynnu llyfu gweflau ei chyn-Weinidog.

A'r un oedd byrdwn sgwrs pawb wrth dorri llwybr dafad at giât y fynwent.

'Dyma'r hoelan ola' yn 'i arch o, yn siŵr i chi.'

'Welith yr hen dlawd ddim gwanwyn arall.'

'Ma' rywun yn ca'l 'i demtio i ofyn ydi hi'n werth i mi fynd ag o o'r fynwant 'ma o gwbl?' ychwanegodd y lleiaf doeth o'r cwmi. 'Mi wyddoch be' ydi pris petrol.'

A dau benisel ryfeddol oedd yn moduro'u ffordd dros ben y bryniau o Garreg Boeth yn ôl i Borth yr Aur. Fe wyddai'r ddau eu bod nhw wedi bod mewn angladd dau ym mynwent Siloam y pnawn hwnnw a'u bod nhw, o bosibl, wedi gweld hen ŵr Heidden Sur am y tro olaf un.

* * *

'Eilir! 'Drycha pwy sy' wedi landio.'

'Dyn y *Kleeneezy*,' atebodd y Gweinidog yn ddifater, heb godi'i ben o'i lyfr, wrth gofio mai hwnnw, yn anffodus, a alwai amlaf o ddigon.

'William John Tarw Potal.'

'Y?' a neidiodd Eilir at ochr ei wraig i ffrâm y ffenestr ddwbl. 'Wel, o bawb! Ac yli be' mae o'n dynnu o'r car.'

'Finnau'n meddwl basa' fo wedi marw . . .' Prysurodd i'w gywiro'i hun, 'Hynny ydi, yn **ofni** basa' fo wedi marw.'

Ond roedd Dafydd Robaitsh yn edrych yn rhyfeddol o fyw, wedi i William John ei lusgo allan o sedd flaen yr *Escort*, fel ffarmwr yn tynnu llo wedi mynd yn groes.

'Finnau hefo dim byd i' roi ar y bwrdd o'u blaenau nhw ond *spaghetti bolognese* wedi i mi 'neud fy hun. Dos di, Eil, i'r drws i'w croesawu nhw ac mi a' innau i roi'r tegell ymlaen iddyn nhw ga'l panad.'

'Sud 'dach chi, Dafydd Robaitsh?'

''Dw i'n burion, 'tasa'r William John 'ma heb fy manhandlo i.'

'Mae o 'di mynd mor gam â chryman,' ebe William John o dan ei wynt, ond yn ddigon uchel i Dafydd Robaitsh glywed, 'a'r un mor finiog.'

'Mi rydach chi'ch dau wedi cyrraedd yn ddiogel, beth bynnag. Dowch i'r tŷ i chi ga'l tama'd o swpar.'

Bu'r sgwrs o gwmpas y bwrdd bwyd yn un ddiddan ddigon i Eilir; William John yn trafod pa rai o ffermwyr Carreg Boeth oedd wedi rhoi'r gorau i odro a throi at fagu stoc a'r hen ŵr yn hysbysu'i gyn-Weinidog pwy o rianedd y fro oedd â golwg am fabi. Roedd gwrando ar sgwrs o'r fath yn amheuthun wedi blynyddoedd, bellach, o fywyd trefol a'r sgwrsio oedd mor aml naill ai'n trafod tynged sêr yr operâu sebon neu rinweddau rhyw fideo neu'i gilydd.

Dotiai Eilir at ddeheurwydd Dafydd Robaitsh gyda'r *spaghetti*. Wedi gwylio Ceinwen, unwaith neu ddwy, yn troi'r llinynnau hirion o amgylch blaen ei fforch ac yna eu taro yn ei cheg aeth yntau ati i'w dynwared a gwneud hynny mor sgilgar â phetai o'n Eidalwr o'i enedigaeth. Ond druan o William John, sylwodd Eilir ar sawl llinyn o *spaghetti* yn sglefrio i lawr rhwng ei grys agored a'i groen, fel cywion nadroedd yn sleifio i ddiogelwch, gan adael ffrydiau o sôs coch o'u hôl.

'Be' ddeutsoch chi, Musus Thomas, oedd enw'r pethau 'ma 'dan ni'n rhoi yn'n cegau?'

'*Spaghetti*, Dafydd Robaitsh.'

'O! Deudwch chi. 'Does yna fawr o flas arnyn nhw ond maen nhw'n bethau bach digon hawdd i'w handlo.' Sylwodd ar gyw neidr arall yn llithro i lawr brest gyrrwr y car, ''Dydi William John Tarw Potal 'ma wedi mynd i driblan yn enbyd.'

Wedi i bawb, ond William John, glirio'u platiau, ac i bawb yfed paned o de, cododd Ceinwen o'i chadair ar feddwl dechrau clirio'r bwrdd.

'Fasa' dim gwell i chi'ch tri fynd i'r 'stafall ffrynt, tra bydda' i yn golchi'r llestri? Ac i Dafydd Robaitsh ga'l cyntun bach cyn dechrau ar y siwrna'n ôl.'

''Dydi'r bygar ddim yn dŵad yn ôl,' ebe William John, a throi at y Gweinidog. 'Maddeuwch y gair, ond fel'na 'dw i wedi arfar cyfeirio ato fo 'rioed.'

'Ddim yn dŵad yn ôl hefo chi?' holodd Ceinwen mewn syndod.

'Gofyn i mi 'i ddanfon o yma 'nath o, dyna'r cwbl.'

Dyna'r pryd y gwawriodd hi ar deulu'r Mans mai lodjar oedd wedi landio ar eu haelwyd ac nid ymwelydd.

Tynnodd Dafydd Robaitsh gôt pyjamas allan o un boced i'w grysbais a throwsus pyjamas o un arall. Yna, o'i boced gesail tynnodd rasel a brws eillio. 'Ma'n debyg, Mistar Thomas, y bydd gynnoch chi dama'd o sebon siefio ga' i fenthyg.'

Roedd Eilir wedi cael gormod braw i feddwl ateb.

'Mi gewch aros yma hefo ni i fwrw'r Sul beth bynnag,' ebe Ceinwen yn ofalus, yn llawn sylweddoli iddi ddrysu mewn rhyw rwydau, 'ac mi geith Eilir 'ma fynd â chi yn ôl i Garrag Boeth at ddechrau'r wsnos.'

'At ddechrau'r wsnos ddeutsoch chi?'

'Ia, neu at ganol yr wsnos deudwch. Ma' Goronwy Meilir a'i gariad yn dŵad adra dros Wyliau'r Pasg a thair llofft s'gynnon ni.'

Gwylltiodd yr hen ŵr. 'Ond sut gythril y medar Edwards y Felin ddiddosi'r tyddyn 'cw i mi mewn tridiau? Gym'ith y gwaith coed ddeufis yn ôl Henri Rowlands, Henri Claddu Pawb felly, ac mi fydd isio peintio'r lle wedyn.' Sylwodd yr hen ŵr, o edrych ar wynebau'u letywyr, fod ei groeso yn un llai nag a ddisgwyliai ac ychwanegodd, 'Faswn i wedi derbyn cynnig Bella i fynd ati hi i gysgu i'r Gors Haidd 'tasa yno fwy nag un llofft.'

Yn raddol, fel gwawr yn araf dorri, y daeth y stori lawn i olau dydd. Wedi blynyddoedd o oedi roedd Edwards y Felin, perchennog Heidden Sur, wedi penderfynu moderneiddio'r tyddyn mynyddig a hynny ar ôl cryn erfyn arno i wneud hynny. Bu tafodau'r fro yn hir ddyfalu pwy neu beth a'i gorfododd i ddod i benderfyniad mor hael. Roedd rhai, yn ôl William John, yn amau mai Bella Stock y Gors Haidd oedd wedi gwerthu Edwards i'r Awdurdodau ac iddo gael gorchymyn llys i wella cyflwr y lle, ar dir diogelwch ac iechyd, ond roedd eraill o'i elynion yn tybio mai maint y grantiau a drodd y fantol ac i Edwin Edwards sylweddoli y byddai ganddo, ond iddo roi cildwrn digon cynnil i Henri Rowlands am ei lafur, newid yn sbâr ar ddiwedd y dydd.

Wedi hir athronyddu o'r fath, a'r hen ŵr wedi mynd i hepian cysgu yn y diflastod, cododd William John i ymadael.

'Well i mi 'i throi hi 'ta. Mi ellith gym'yd hannar awr dda i mi ffendio fy ffordd o'r twll tre 'ma.'

'Dyna fo,' sibrydodd Ceinwen, rhag deffro'r cysgadur, 'mi geith Dafydd Robaitsh aros yma hefo ni, hyd nes y medrwn ni ffendio fflat ne' rwbath ar 'i gyfar o.'

'Handlwch o'n ofalus, bendith y tad i chi, dyna ddeuda' i, mi eith yn rêl tincar os na cheith o'i ffordd 'i hun,' ac aeth

William John allan i'r *Escort*, ac i strydoedd y dre anghyfarwydd, i fapio'i ffordd yn ôl i wareiddiad Carreg Boeth.

* * *

'A'r oed, Mistyr Thomas?'

Roedd hi'n groes i'r graen i Eilir i ddatgelu'i oed i'r cyhoedd ond os oedd hynny yn gwbl swyddogol angenrheidiol 'doedd ganddo fawr o ddewis. Penderfynodd gynilo ychydig ar y gwir.

'Dros hannar cant.'

'Pardwn?'

'Hannar cant . . . wel, fymryn drosodd.'

Cwpanodd Cecil ei wyneb yn ei ddwylo a gollwng ochenaid ddramatig. Yna, lluchiodd y beiro ar y ddesg o'i flaen a ffanio'i ddwylo modrwyog dros y ffurflen y ceisiai'i chwblhau.

'Ylwch yma, Mistyr Thomas, cariad, 'does gin i ddim amsar i ddilidalio. Mi rydw' i'n diw i dorri gwinadd traed Miss Bartholomew, Fflat 13, unrhyw funud.'

'Ia?'

'Wel, un funud 'dach chi'n 'i alw fo yn hen ŵr a'r funud nesa' yn deud wrtha' i ma' 'chydig dros 'i hannar cant ydi o. *Come clean. We can't have it both ways you know!*'

'Y **fi** sy' newydd droi fy hannar cant,' pwysleisiodd y Gweinidog, yn gofidio iddo ddatgelu'i oed o gwbl. 'Mae o ymhell dros 'i bedwarugain.'

A dyma Cecil yn gweryru chwerthin, ''Dach chi'n rêl rôg, siwgr. Ylwch, cariad, mi ddechreuwn ni o'r feri dechrau unwaith eto. Enw?'

'Fy enw **i** felly? Ond . . .'

'Y tenant!' a gwylltiodd Cecil, beth, 'y sawl sy'n mynd i rentu'r fflat gin i. 'I enw fo?'

'David Roberts.'

'Thenciw. A'r cyfeiriad, Mistyr Thomas, os gwelwch chi'n dda?'

'Heidden Sur, Carreg Boeth . . .'

'O! Am funud bach!' a chafodd y beiro ffling arall. 'Fedra' i ddim gosod fflat i neb, cariad, os nag ydi o'n *local.* Rheolau ydi rheolau. Mae'n ddrwg gin i, siwgr, ond fel'na mae hi.'

'Acw, hefo ni, ma' Dafydd Robaitsh yn byw, ar hyn o bryd.'

Rhoddodd Cecil winc ddrygionllyd ar ei Weinidog, 'M!. . . *I see.*' Cydiodd eilwaith yn ei feiro ac ysgrifennu mewn llawysgrifen enethig, gymen – 'Y Mans, Porth yr Aur'.

'Diolch i chi.'

'Ma' pethau'r Gwas'naethau Cymdeithasol 'ma wedi mynd yn rêl *peeping toms,* Mistyr Thomas bach, ma' nhw'n mynd drwy 'mhocedi i bob tro y dôn nhw yma i ofyn sut ydw' i. Dowch hefo mi, cariad, i chi ga'l gweld y fflat.'

Gŵr o eithafion pendant oedd perchennog Siesta Cecil's Siesta – dau dŷ enfawr ar y llethr uchel uwchben yr Harbwr a addaswyd yn fflatiau ar gyfer eu rhentu ac a gysylltid â'i gilydd â choridor gwydr, yn haul i gyd. Y fo, hefyd, oedd perchennog y *Siswrn Cecil's Scissors* yn Stryd Samson, ac wrth yr enw Ses Sis y byddai'i gydnabod yn cyfeirio ato, ond ymddiriedai ofal y busnes hwnnw i'r harîm o enethod a gyflogid ganddo a rhoi'i holl amser, bron, i redeg y fflatiau ym Mhen'r Allt gan ofalu am angenrheidiau'i denantiaid yn dymhorol ac yn ysbrydol. Ar un wedd roedd Cecil Humphreys yn ŵr cyhoeddus, lliwgar, yn geffyl blaen, yn uchel iawn ei gloch ac yn finiog ei dafod os byddai galw am hynny, yn un a gerddai strydoedd Porth yr Aur yn fân ac yn fuan gan aros i sgwrsio â hwn ac arall a'r sgwrsio hwnnw, bob amser, yn ddwylo i gyd; ond, ar y llaw arall, roedd o'n berson cwbl breifat, yn enaid defosiynol, yn flaenor yng Nghapel y Cei, ond yn ddirgelwch i'w gyfeillion agosaf ac eigion i'w gymeriad na lwyddai neb fyth i'w blymio. O ran oed, gallasai fod yn ddeg-ar-hugain neu'n hanner cant, a 'doedd neb yn hollol siŵr a oedd y gwallt lliw sinsir yn un naturiol neu'n un a ddeuai allan o botel, ond roedd ei garedigrwydd yn ddihareb ym Mhorth yr Aur a'i air, fel y gwyddai Eilir yn dda, yn ddeddf.

'Dyma fo, Mistyr Thomas, Fflat 2,' ac agor y drws er mwyn

i Eilir gamu i mewn o'i flaen o. ''Dydi o'n rêl nyth dryw?'

'Ond, ofn s'gin i i Dafydd Robaitsh lwgu.'

'Llwgu, cariad?'

'Sut byth dragwyddol y medar hen ŵr sy' wedi arfar â phadall ffrio a sosban ymgyfarwyddo â'r holl offer modern 'ma s'gynnoch chi?'

'Dim ond iddo fo bwyso'r swits 'na, del,' a chyfeirio at fath o fotwm coch yn rhwym wrth linyn, 'ac mi fydda'i i lawr fel dôs o solts, i roi help llaw iddo fo.'

'Dyna ni 'ta. Mi dala' innau bythefnos o rent drosto fo, nes medra' i 'i orfodi o i fod yn hunan-gynhaliol.'

'Mistyr Thomas, 'dach chi'n angal i gyd. 'Dach chi'n siŵr o fynd i'r nefoedd,' a chwpanodd Cecil ddwylo'r Gweinidog yn ei ddwylo'i hun a'u gwasgu nhw'n anghyfforddus o dynn. 'Bendith arnoch chi, 'ngwas i.'

Wrth gerdded allan i'r awyr iach rhannodd y Gweinidog beth ar ei ofid. ''Dydi rhoi Dafydd Robaitsh mewn mymryn o fflat ym Mhorth yr Aur, hyd yn oed dros dro, yn ddim lles i 'nghydwybod i. Pwy fydd 'i gymdogion o, deudwch?'

'Pobol ifanc, *beautiful*.'

'Pobol ifanc?'

'Pedr Flewog sy'n y fflat yn union 'dano fo.'

'Pedr Flewog?'

'Os ceith Pedr lonydd i strymian 'i gitâr mae o mor ddiniwad ag oen llywa'th. Heblaw, mi fydd yn codi'i bac am y '*Stonehenge*' 'na, unwaith y bydd yr haul yn y lle iawn. Ac mi fydd yr hen ŵr wrth 'i fodd hefo'r hogan bach 'na sy'n y fflat uwch 'i ben o. Hogan bach lyfli.'

'O?'

'Marlene. Merch Cwini Lewis, Rhes yr Harbwr.'

'O!'

'Ma' gynni hi dri o'r pethau bach dela' welsoch chi. Crwyn gwyn glân fel eira gynnon nhw a phennau melyn, cyrliog, *beautiful*.'

'Tewch chithau.'

Rhoddodd Ses Sis ei law dros ei geg a hanner sibrwd, 'Ma' hynny'n dipyn o sypreis o feddwl 'u bod nhw'n deud – ond i chi beidio â deud ma' fi sy'n deud, 'te cariad – ma'r Jac Black hwnnw ydi tad dau ohonyn nhw.'

'Mi ddo' i â Dafydd Robaitsh yma tua deg bora dydd Llun.'

'Diolch i chi, siwgr.'

Fel roedd Eilir yn cerdded am y car gwichiodd Cecil, 'Mistyr Thomas, cariad, peidiwch â diflannu cyn i mi ddangos i chi sut ma' agor y drws electronig 'ma.'

'O, ia.'

'Daliwch ych dŵr am eiliad, del, i mi ga'l chwilio am y côd i chi,' a diflannodd Ses Sis am y cynteddoedd mewnol, yn ben ôl i gyd.

* * *

'Tyhw-w-w-w!'

Roedd Dafydd Robaitsh newydd gyrraedd i'r fflat ac wrthi'n ffrïo y sleisen o facwn a roddodd Ceinwen iddo ar gyfer ei swper pan gerddodd ei gymdoges o'r fflat uwch ei ben i mewn, yn llond ei blows, gydag un babi yn ei chôl a dau o rai eraill, nad oeddan nhw fawr hŷn, yn hongian gerfydd y mymryn sgert a wisgai.

'Haia, Taid? 'Dach chi'n setlo yn y twll lle 'ma?'

Roedd yr hen ŵr wedi dychryn gormod i feddwl ateb. Safai'n gegrwth ar ganol llawr y gegin gyda'r badell yn ei law a'r tamaid bacwn yn sislan ffrïo.

''Fasa waeth gin i fyw mewn cwt c'loman ddim. Marlene 'di f'enw i, a 'dw i'n dal yn Lewis ylwch, wrth 'mod i heb briodi 'te. Fi sy'n byw yn y fflat wrth ych pen chi, Taid!'

'Felly.'

'Diolch i'r nefoedd ddeuda' i nag ydach chi ddim yn medru gweld drwy'r siling.' Plygodd ymlaen i weld cynnwys y badell yn well, nes roedd trwynau y babi a hithau bron yn y saim. 'Be' 'dach chi'n drio gwcio, cariad? Becyn 'di o, ia?'

'Becyn oedd o,' ebe'r hen ŵr yn flin.

'Argol, fyddai'n lecio becyn 'di crimpio llosgi. Faswn i'n cym'yd panad hefo chi, Taid, oni bai 'mod i wedi rhedag allan o ffags.' Trodd at y plant a dechrau'u cyflwyno i ddyn y badell, fesul un ac un. 'Shereen ydi hon, Taid. A dyma i chi Sheridan. Rŵan, deudwch chi "helo" yn neis wrth Taidi Roberts rhag ofn y cewch chi bresant gynno fo.'

Aeth y fechan yn swil i gyd ond ymateb Sheridan oedd tynnu'i dafod allan hyd y pen. 'Geith hwn homar o stîd gin i, Taid, unwaith bydd 'i esgyrn o wedi cryfhau digon i mi fedru 'u torri nhw.' Trodd at y babi a gysgai ar ei mynwes a thynnu'i llaw yn garuaidd dros ei ben, 'Gabriel ydi hwn, Taidi. Ma' hwn yn dal i ga'l bron gin i.'

Gwraig benfelen, gan amlaf, oedd Cwini Lewis, y fam, ond un benddu oedd ei merch, eto roedd y ddwy mor llyfndew â'i gilydd a'r un mor frac eu tafodau.

Tynnodd Marlene Lewis baced sigaréts o boced ei blows a gwthio yr unig un a oedd ar ôl yn syth o'r paced i gornel ei cheg; lluchiodd y paced gwag i geg gyfyng bin fechan a safai wrth y lle tân a methu.

'Ma' gynnoch **chi** fatsus, Taid,' a siglo cerdded at ymyl y stôf.

Wedi iddi danio'r sigarét a llyncu cegiad helaeth o fwg gwthiodd y bocs matsus tri-chwarter llawn i boced ei blows. ''Na i fenthyg-dwyn hwn gynnoch chi, Taid, tan heno.' Gollyngodd yr un mwg allan drwy'i ffroenau yn ddolennau gleision, afiach, 'Argol, o'n i jyst â marw isio smôc, ia.'

Taflodd Dafydd Robaitsh gip digalon i gyfeiriad y stôf nwy oedd bellach wedi hen oeri a meddwl sut y byddai hi'n bosibl iddo aildanio'r peth heb y bocs matsus. Cyn iddo droi rownd roedd Marlene wedi sodro'r babi ar fraich wag Dafydd Robaitsh ac yn cychwyn am y drws.

''Newch chi warchod Gabriel i mi, Taid, tra bydda' i'n picio allan i Siop *Gogonzola* i chwilio am smôcs? Fydda' i ddim chwinc.'

'Ond be' am y becyn 'ma?'

'Fytith Gabriel fymryn o fecyn yn iawn, dim ond i chi 'i gnoi o i ddechrau a'i roi o iddo fo ar flaen llwy.'

'Diawl, 's'na ddim digon o fecyn i un heb sôn am ddau!' Ond roedd Marlene a'r plant wedi diflannu i'r nos cyn i Dafydd Robaitsh ddarfod y frawddeg.

Safodd yn ei unfan ar lawr y gegin, padell lugoer yn un llaw a babi dychrynedig ar y fraich arall, hyd nes roedd eco clipiadau sodlau stileto Marlene Lewis ar y grisiau concrit wedi hen ddistewi yn y pellter.

Wedi peth synfyfyrio penderfynodd yr hen ŵr fod ceisio achub y tamaid bacwn yn bwysicach gorchwyl na dwndian babi rhywun arall. Lluchiodd Gabriel ar y soffa a throtian at y stôf i weld a oedd hi'n bosibl ailgynnau'r fflam. Dyna'r foment y daeth goddefgarwch Gabriel i'w derfyn. Tynnodd ei benliniau at ei ên a dechrau sgrechian fel babi mewn ffilm.

Sylweddolodd Dafydd Robaitsh y byddai'n rhaid iddo naill ai luchio'r babi neu'r bacwn allan drwy'r ffenestr, roedd hi'n amhosibl iddo warchod y ddau; penderfynodd gadw'r babi gan fod y tamaid bacwn, eisoes, wedi cyrlio'n ddim.

Llifodd dwyawr dda heibio cyn i'r fam ifanc ddychwelyd, a'r plant a aeth i'w chanlyn, erbyn hynny, yn drwm gan flinder. Roedd Dafydd Robaitsh, yntau, wedi syrthio i bendwmpian ar y soffa a Gabriel, gan faint ei ludded, wedi mynd i gysgu yn ei gesail.

'Haia, Taidi!'

Agorodd yr hen ŵr ei lygaid. Ymdrechodd i godi o'r soffa isel a'r llwyth i'w ganlyn.

'Lle gythra'l 'dach chi wedi bod?'

''Ddrwg gin i loetran cymaint Taid. Ond mi welis i Desmond yn y *Ship an' Anchor*.'

'Pwy?'

'Hen fflêm i mi, tad nymbyr thri,' a phwyntio at Gabriel, 'ac ma' ar y cythra'l doman o bres i mi.'

Cythrodd i'r babi a'i fagu ar ei mynwes gan wneud sŵn mam dda, 'Ydi Gabriel ni wedi bod yn hogyn bach da i Taidi hen?'

'Naddo!'

'Y?'

'Mae o'r peth mwya' swnllyd y buo clwt am 'i dîn o 'rioed.'

Dyna'r foment y deffrowyd y fam ym Marlene. 'Ishio i chi newid 'i glwt o oedd 'te. Wedi ca'l 'i weithio ma'r peth bach. 'Tasach chi ond wedi'i godi o ar ych glin.'

'Dyna'r camgymeriad 'nes i.'

'Be' 'dach chi'n 'i feddwl?'

''Dydi o'n taflu i fyny fel seiffon, o'r ddau ben. Wel, os na ddaliwch chi o yn hollol wastad. Mae o fel potal heb gorcyn arni.'

Fu Marlene Lewis, fwy na'i mam o'i blaen, erioed yn bleidiol i athrawiaeth y pechod gwreiddiol. Efallai 'i bod hi'n fam ddigon benchwiban, yn chwannog i ori allan ar yr esgus lleiaf, ond roedd cynnig unrhyw feirniadaeth ar ei phlant yn ei gyrru hi'n wallgof ulw. Llewes wedi'i chlwyfo oedd hi bellach, yn amddiffyn ei chenawon.

'Mi'ch riportia' i chi i'r N.S.P.C.C.'

'I bwy?'

'I'r ddynas siop dillad ail-law 'na sy'n y farchnad.' Bugeiliodd ei phlant ynghyd, fel iâr yn casglu'i chywion, a throi am y drws. 'Dowch wir, rhag ofn i'r hen ddyn budr 'ma ych b'yta chi'n fyw.'

'Y cwbl 'nes i . . .'

Ond roedd y fam eiddigeddus o'i phlant wedi camu dros y trothwy ac yn bustachu dringo i fyny i'r fflat uwchben, mor gyflym ag y medrai, a'r sodlau meinion yn ebillio'i chynddaredd i goncrit y grisiau.

Yr un pryd ag yr oedd Dafydd Robaitsh yn camu i'r gwely benthyg roedd Pedr Flewog, tenant y fflat oddi tano, yn codi o'i wely'i hun. Dechreuodd strymian ei gitâr, a chrwnian canu

Bleeding Heart yn arddull Jimmy Hendrix, a bu wrthi tan oriau mân y bore.

* * *

Fel roedd y Gweinidog yn disgyn i lawr y grisiau mawr o'r stryd i'r cei sylwodd ar angladd gweddol hir yn troelli'i ffordd yn araf o amgylch yr Harbwr. 'Howarth yr Ymgymerwr,' meddai wrtho'i hun, 'yn mynd â rhyw druan arall am un swae derfynol ar hyd y traeth cyn ei roi i orffwyso yn nhir ei hir gartref.' *Escort* coch, anghyfreithlon o fyglyd, a arweiniai'r osgordd a rhyfeddodd Eilir i Howarth, o bawb, o gofio'i sêl dros 'weddustra', ganiatáu'r peth o gwbl.

Ond William John Tarw Potal oedd yn arwain yr osgordd, a hynny yn llewys ei grys ac yn ei ddillad gwaith. Nid galarwyr oedd yr osgordd ond cryn ugain o fodurwyr, wedi'u gorfodi i deithio yn ôl deng milltir yr awr a chychwyn ac ailgychwyn ugeiniau o weithiau.

Wrth ddod at droed y grisiau mawr cafodd William John gip ar ei gyn-Weinidog; gogwyddodd i'r dde, yn gwbl ddi-arwydd, a pharcio ar linellau-melyn-dwbl. Camodd allan o'r car yn chwyslyd, ddiolchgar.

'Dda sobr gin i ych gweld chi, achan. 'Dw i wedi rowndio'r Harbwr 'ma gryn deirgwaith yn barod.'

'Chwilio am *Siesta Cecil's Siesta* ydach chi?'

'Ia, os ma' dyna ydi enw'r twll lle.'

''Tasa' chi'n mynd ymlaen hannar canllath a throi i'r dde, ac yna dringo'r allt, mi fyddwch wedi cyrraedd yno.'

'Fasa' chi'n fodlon dŵad yno hefo mi?' holodd yn ymbilgar.

'Wel, ar fy ffordd i roi sgwrs i aelodau'r Clwb Hamdden ro'n i, yn y Capal Sinc, ond go brin y bydda'r hen bobl yn fy 'ngholli i am **un** p'nawn.'

'Ylwch, neidiwch i'r ffrynt.'

Fel roedd Eilir yn cau'r drws gwelodd y warden traffig, Huw Fflatwadan fel y byddai'i ychydig ffrindiau yn ei alw – roedd gan ei elynion hyllach enw arno – yn pwyo'i ffordd at y car.

Wedi adnabod y Gweinidog yn sedd y teithiwr cododd ei law yn faddeugar, yna caeodd ei ddwrn arno, yn rhybudd iddo beidio â chymell eraill o'i gydnabod i droseddu yn yr un modd.

'I'r dde yn fa'ma, William John, fel mae'r arwydd 'ma'n deud.'

Gwyrodd yr *Escort* i'r dde nes roedd ei syspensions yn griddfan tan yr ymdrech a dechrau dringo yn swnllyd i fyny'r rhiw serth.

'Mi fydd Dafydd Robaitsh yn falch iawn o'ch gweld chi wedi galw i edrach amdano fo.'

''Faswn i ddim yn gwastraffu petrol pedair seran i 'neud peth felly.'

'O?'

'Dwad adra ma'r bygar.'

'Ydach chi'n hollol siŵr o'ch pethau, William John?'

'Dyna'r comand ge's i. Er 'i bod hi'n anodd gythril dallt dim o'dd o'n 'i ddeud ar y ffôn. Roedd o'n swnio fel cacwn mewn potal lefrith. 'Dwn i ddim ydi o'n talu be' ddyla' fo am ffônio. E'lla 'u bod nhw'n rhoi lein salach iddo fo o'r herwydd. Fydda' i'n meddwl weithiau y b'asa' pethau'n haws 'taswn i'n prynu c'loman yn bresant Dolig iddo fo.'

Dyna lle roedd yr hen ŵr yn hanner pwyso ar gilbost giât y *Siesta Cecil* – ffon yn un llaw a bag lledr moethus, newydd danlli, yn y llaw arall. Pan welodd o fwg cyfarwydd yr *Escort* cododd ei ffon mewn saliwt a chychwyn am gyfeiriad y car.

''Tasa Mistar Thomas yn camu allan o'r car gynta' medar o, i ni ga'l 'i chychwyn hi am Garrag Boeth.'

O weld y mwg daeth Cecil allan, yn ei ffedog golchi gwalltiau, a cherdded yn fân ac yn fuan at ochr y Gweinidog. 'O! Mistyr Thomas bach,' a phob 's' o'i eiddo'n sislan, 'mae o mor styfnig â mul.'

''Wn i hynny.'

'Mi wnes i bob dim posib i geisio'i berswadio fo i aros. Pob dim, cariad, ond gweddïo hefo fo.'

''Fasa' dim gwell i ni gychwyn, William John?' awgrymodd yr hen ŵr wedi cael ei hun i'r car, 'ne' mi eith yn nos arnon ni.'

Cydiodd Cecil yn dyner yn llaw ei Weinidog, 'Chithau, del, wedi talu pythefnos drosto fo, ymlaen llaw. Ond mi rydw' i wedi prynu cês *beautiful* iddo fo efo peth o'r arian a llond gwlad o byjamys's, a dwy *dressing gown beautiful* a llwyth o grysau silc. Mi 'neith y rheini iddo fo i fynd i'r capal.'

Gwingodd Eilir o glywed fel y bu i Cecil brynu'r fath domen o drugareddau cwbl ddianghenraid a hollol anghymwys; gwingodd fwyfwy wrth sylweddoli mai o'i boced o y daeth yr arian.

'Ond gwrandwch, Cecil. Fydd . . .'

''Sgiwsiwch fi, Mistyr Thomas, siwgr, ond fedra' i ddim aros i siarad hefo chi. Ma' Musus Tomkins, Fflat 8, yn disgwyl am 'i *blue rinse* wythnosol. Mi fydd yr hen dlawd yn nawdeg os dalith hi aea' arall ac ma' hi'n haeddu pob *blue rinse* geith hi bellach.'

Gwthiodd ei ben drwy ffenestr y car i roi sws ffarwél i'r hen ŵr. 'Twdwlw Mistyr Roberts, cariad! Ma' hi wedi bod yn blesar ych 'nabod chi.' Yr eiliad nesa' roedd o wedi diflannu yn ôl i'w *Siesta* gan adael chwa o sent ffansi o'i ôl.

''Dda gin i weld cefn y dwlal yna, Mistar Thomas,' ebe'r hen ŵr, gan sychu'i weflau â chefn ei law. 'Rŵan, William John, i ffwr' â ni.'

'Ond, Dafydd Robaitsh annwyl,' globiodd y Gweinidog, a'r car newydd aildanio, 'fydd Edwin Edwards byth wedi diddosi'r tyddyn i chi o fewn pythefnos.'

'Mi fydd yn nes i Glamai arno fo, os ydw' i'n 'nabod Nedw yn iawn.'

'Wel bydd.'

'Ond gan bod Musus Thomas a chithau wedi 'nhroi i dros y trothwy 'does gin i fawr o ddewis. Fasa' chi, Mistar Thomas, yn lecio trio cysgu a rhwbath blewog yn waldio gitâr o dan ych gwely chi?'

'Na f'aswn, ond mi fydd hi'n ofynnol i chi ga'l r'wla i roi'ch pen i lawr.'

''Tydi Bella Stock y Gors Haidd wedi cynnig cysgod i mi.'

'Ond deud roeddach chi ma' un 'stafell wely sydd yno.'

'Hwyrach i mi anghofio ychwanegu bod yn honno ddau wely. Tân 'dani, William John, imi ga'l mynd yn ôl i fy nghynefin.'

Pow-wow

'Pregath dda oedd honna, Mistyr Thomas,' canmolodd Meri Morris fel roedd hi a gweddill Blaenoriaid Capel y Cei yn paratoi i adael y sêt fawr ar ddiwedd oedfa'r bore.

'Diolch yn fawr i chi.'

'Pregath i godi'n c'lonnau ni ar drothwy'r Dolig fel hyn, lle 'bod ni'n llyfu'n clwyfau, Sul yn dilyn Sul. Ynte, John Wyn?'

'Ia,' mwmiodd yr Ysgrifennydd, ond mor amharod i ganmol ag erioed – serch ysbryd yr ŵyl. 'Ond teimlo ro'n i 'i bod hi fel amball i dorth wen gewch chi o Siop Bob Becar – yn sagio tua'r canol,' gan roi bara gwyn Robert Williams Galwch Eto, fel y'i gelwid, a Bara'r Bywyd yn yr un glorian. 'Fasa neb ohonon ni wedi bod ar ein collad, Mistyr Thomas, 'tasa chi wedi rhoi'r ail ben yn y drol ludw.'

'Felly,' atebodd y Gweinidog yn cofio iddo fod ar ei draed y nos yn nyrsio'r union ran o'r bregeth y cyfeiriai John Wyn ati.

'Gyda llaw,' ychwanegodd yr Ysgrifennydd, 'mi leciwn i ga'l

gair bach hefo chi, fel Blaenoriaid, cyn ych bod chi'n mynd am ginio. Ydi pawb yma?'

'Ma' pawb yma,' eglurodd William Howarth, 'ond Huw Ambrose, y Trysorydd. Mi gafodd o gomand adag canu'r emyn olaf i fynd nerth 'i garnau am y syrjyri.'

'Mi gwelis i o'n sleifio allan,' ebe'r hen Ifan Jones, yn ddiniweidrwydd pur, 'ond ro'n i wedi tybio ma' isio g'neud dŵr roedd o, fel y bydda' innau weithiau. Wel, os bydd y pregethwr flewyn yn hir.'

'Roedd Cwini Lewis, Llanw'r Môr,' eglurodd yr Ymgymerwr eilwaith, wedi i'r chwerthin beidio, 'wedi ca'l twts o'r ddannodd yn ystod y bregath ac am i Ambrose dynnu'r dant iddi hi 'gyntad â phosib', ar y *National Health.*'

'Wel, pan welwch chi be' s'gin i 'dan yr ordd e'lla 'i bod hi'n llawar gwell 'i fod o yn absennol,' oedd sylw John Wyn.

Heddwch brau ryfeddol oedd rhwng Ysgrifennydd a Thrysorydd Capel y Cei. Pan ddeuai unrhyw fater yr anghytunent arno i'r bwrdd byddai'r ddau yn ymgnawdoli'n ôl yn hogiau ysgol ac yn ailfyw brwydrau y bu eu rhieni'n eu hymladd adeg yr Ail Ryfel Byd. Safleoedd stondinau gwerthu pysgod ar y cei oedd asgwrn y gynnen, unwaith – yn ôl a glywodd Eilir – a'r pysgod, wedi hanner can mlynedd hir, yn dal i ddrewi ar yr esgus lleiaf.

'Os byddwn ni mor garedig, gyfeillion, â rhoi gwrandawiad teilwng i Mistyr Wyn,' apeliodd y Gweinidog wrth glywed rhai o'r Blaenoriaid yn carthu'u gyddfau'n fygythiol.

'Wedi ca'l llythyr Saesnag ydw' i oddi wrth . . . y . . .' a rhoi'i sbectol ar ei drwyn, '. . . oddi wrth y *Deep End Exclusive Evangelical Brethren Church* yn *9 Mount Sion Terrace, Kidderminster.*'

'Bobol!' rhyfeddodd Meri Morris, 'be' ma' rheini isio gynnon ni?'

''Dydyn nhw isio dim byd.'

'O!'

'Am roi rhwbath i ni maen nhw.'

‘'Rioed?’

‘Wel, well i chi ddeud wrthan ni, Mistyr Wyn, be’ ma’ nhw am roi i ni,’ awgrymodd Dyddgu, yr ieuengaf o’r Blaenoriaid, ‘mi rydan ni i gyd ar dân isio gw’bod.’

Cymrodd John Wyn ei wynt ato ac ateb, ‘Chwaer Ambrose – Lisi Fish-fish fel y byddwn ni’n ’i galw hi!’

‘At Miss Elisabeth Ambrose ydach chi’n cyfeirio?’ holodd y Gweinidog, mewn ymdrech i barchuso’r sefyllfa.

‘Ia siŵr, ond ’i bod hi’n haws i mi gyfeirio ati hi’n gartrefol fel’na tra ma’i brawd hi’n absennol,’ a throsglwyddo’r llythyr i ofal y Gweinidog.

Wedi bwrw golwg frysiog dros y llythyr ceisiodd Eilir drosglwyddo gweddill ei gynnwys i’r swyddogaeth.

‘Wel, math o lythyr cyflwyniad ydi o, yn trosglwyddo aelodaeth Miss Ambrose o’r capal ’ma yn *Kidderminster* i Gapal y Cei, lle cafodd hi’i magu.’

‘Cynnig ein bod ni’n gwrthod y rhodd,’ meddai’r Ysgrifennydd wedyn, ‘er ’i bod hi’n Ddolig.’

Anwybyddodd y Gweinidog yr ymyrraeth a mynd yn ei flaen, ‘Yn ôl y llythyr yma, ma’ Miss Ambrose ar fin ymddeol o fod yn Brifathrawes Ysgol y Santes Siarlot, ysgol breifat i ferchaid ar gyrion *Kidderminster*, ac yn bwriadu chwilio am fflat neu dŷ ar rent ym Mhorth yr Aur, ac . . .’

‘Sgiwsiwch fi, Mistyr Thomas, cariad,’ ebe Cecil, y torrwr gwalltiau merched, ‘ond ydi hi’n bosib’ i mi ga’l enw a chyfeiriad y *gentleman* sy’ wedi sgwennu’r llythyr, rhag ofn y medra’ i fod o help hefo’r *accommodation*?’

‘Gwraig ydi hi, Mistyr Humphreys.’

‘Pardwn?’

‘Merch, nid dyn, sy’ wedi sgwennu’r llythyr.’

‘*Well, I never*,’ a moeli’r dwylo modrwyog i guddio’i embaras.

‘Be’ ma’n nhw’n ddeud am gymeriad Lisi? Dyna sy’n bwysig,’ brathodd John Wyn drachefn. ‘Sut ma’ hi wedi byw yn y wlad bell? Ydi hi wedi bod yn afradlon neu beidio? Dyna sy'n mynd i droi'r fantol.'

'Wel, ma' nhw'n cyfeirio at 'i haelioni mawr hi tuag at yr Achos.'

'Rhaid 'i bod hi'n fwy rhydd hefo arian Lloegr 'ta! Cwta ugain punt gyfrannodd hi at ein ffair ha' ni, pan oedd Ifan Jones 'ma yn rafflo'r mochyn hwnnw. Mi roddodd Owen Gillespie 'ma ganpunt.'

Clwyfwyd y gŵr duwiol. 'Rhodd ddi-enw oedd hi i fod, John Wyn, a 'doedd neb ond y swyddogion i wybod y swm. Ma'r Beibl yn'n rhybuddio ni i ochelyd "gwneuthur ein hel-usen yng ngŵydd dynion".'

'Rydan ni'n gwerthfawrogi hynny, Mistyr Gillespie,' eglurodd y Gweinidog, yn gwneud ei orau i roi eli ar y briw, 'ac yn gofidio i'r gyfrinach ga'l 'i datgelu ond diolch i chi, unwaith yn rhagor, am y rhodd. Mi wyddom ni i gyd 'i bod hi wedi bod yn rhodd o'r galon.' Ailgydiodd yn ei waith. 'Ma'r llythyr, hefyd, yn cyfeirio at ffyddlondeb Miss Ambrose i holl weithgareddau'r *Deep End Exclusive Evangelical Brethren* ac yn nodi fel y bu iddi hi gynnal y safonau moesol ucha' posib' yn yr ysgol ac yn yr ardal, mewn byd ac eglwys.'

'Gwahanol iawn i'w thad 'ta,' cwynodd yr Ysgrifennydd, 'mi yrrodd hwnnw fusnas gwerthu gwichia'd 'y nhad i'r wal.'

'Sgiwsiwch fi, Mistyr Wyn, cariad, ond be' ydi gwichia'd? *Pardon me asking.*'

Yn dilyn, caed trafodaeth hir a diflas ynghylch natur a rhywogaeth gwichiaid nes i John Wyn roi'r bennod a'r adnod, 'Rhyw bethau tebyg i falwod ydyn nhw, Cecil, ac mi fydda' 'nhad yn 'u berwi nhw'n fyw mewn boilar. Yna, mi fydda' pobol ddiarth yn 'u tynnu nhw allan o'u cregin hefo pinnau ac yn 'u b'yta nhw i swpar.'

'Ych-â-fi!' a thynnu wyneb afal sur. '*But I know what you mean.*'

Teimlai Eilir fod hynny o fendith a gafwyd o bregeth y bore yn prysur egru a bod ei ginio dydd Sul yntau yn hen oeri.

'Ga' i awgrymu'n bod ni'n gadael y llythyr ar y bwr' nes y bydd Miss Ambrose wedi cyrraedd Porth yr Aur. Fedrwn ni mo'i chroesawu hi nes gwelwn ni hi.' Porthodd amryw eu cytundeb. 'Ac yna ein bod ni'n 'i derbyn hi fel aelod ar ddechrau'r flwyddyn newydd, hynny ydi os bydd hi wedi cyrraedd mewn pryd.'

Cododd pawb eu dwylo i bleidleisio o blaid yr awgrym, pawb ond John Wyn. 'Os derbyniwn ni Lisi Fish-fish i'n rhengoedd mi awn ni o'r badall ffrïo i'r tân, dyna fydd yn hanas ni fel eglwys, gewch chi weld.'

Gwenodd amryw, wedi gweld doniolwch y ddelwedd – pysgodyn a phadell.

Cododd Eilir a gadael ar hast. Roedd y ddelwedd wedi'i gyffwrdd yntau a'i argyhoeddi y byddai'n rhaid iddo, rhwng hanner dydd a hanner awr wedi pump, newid thema pregeth yr hwyr; brawddeg o eiddo Simon Pedr oedd y testun arfaethedig – "Yr wyf fi yn myned i bysgota".

* * *

Ar bnawn Llun, bythefnos cyn y Dolig, a'r Gweinidog yn ei stydi, canodd cloch y teliffon.

'Helo?'

'Cecil, *Siesta Cecil's Siesta* sy' 'ma,' a swnio'n union fel gwenynen feirch wedi mynd i mewn i botel sôs wag ac yn methu â ffendio'i ffordd allan.

'Pnawn da, Mistyr Humphreys.'

'Cyfarchion y tymor i chi, Mistyr Thomas, cariad.'

'Diolch.'

'Dim ond deud wrthach chi fod Miss Elisabeth Ambrose, *late of Kidderminster*, wedi landio a'i bod hi'n setlo i lawr hefo ni'n *beautiful*.'

'Ydi hi wedi cyrraedd yn barod?'

'Ydi, ac ma' hi'n awyddus iawn i ga'l *pow-wow* bach hefo'i Gw'nidog newydd o hyn i'r Dolig, *if convenient* 'te.'

'Fedrwch chi ddeud wrtha' i pa rif ydi'r fflat?'

'*Number two*, siwgr. Wyddoch chi p'run ydi o?'

'Gin i go' fod y canwr gitâr hwnnw yn rhif un. Pedr Flewog ne' rwbath, fel mae o'n galw'i hun.'

''Dach chi wedi taro'r hoelan ar 'i phen, cariad. Y fflat sy'n union uwchben hwnnw, fa'no ma' *dear* Miss Ambrose.'

'Fedra' i ddim meddwl am ieuad llai cymharus.'

'Unwaith eto, cariad?'

'Fedra' i ddim meddwl am ddau mwy annhebyg yn byw mor agos at 'i gilydd.'

'Peidiwch â sôn. Ma'r ddau, Mistyr Thomas bach, yn benna' ffrindiau, fel 'tasan nhw wedi'u magu ar yr un deth. Sgiws y gymhariaeth. Y ddau yn erbyn hela llwynogod a'r bom, ac o blaid ordeinio merchaid a thyfu pethau heb dail gwarthaig.'

'Ia, ond be' am ferch Cwini Lewis yn fflat tri, yn union uwch 'i phen hi, a'r baich plant 'na?'

'Gynnoch chi bwynt yn fan'na, cariad, *I must admit*. Ond e'lla medra' i berswadio Miss Ambrose i roi gwersi mewn *hygiene* i'r pethau bach. Ma' nhw fel chwain o ddig'wilydd.'

'Mi geisia i alw i weld Miss Ambrose o hyn i'r Sul, Cecil.'

'Mistyr Thomas, 'dach chi'n rêl angal bach.'

'Hwyl i chi rŵan.'

'Twdwlw, Mistyr Thomas! *And many thanks*.'

* * *

Roedd yna natur trap llygoden yn nrws electronig y *Siesta Cecil's Siesta* a Ffrancwr oedd o o ran iaith. Wedi i Eilir bwyso'r botymau cywir a byseddu y rhifau cyfrinachol a gafodd gan Cecil Siswrn agorodd y drws ei geg yn fygythiol araf a sibrwd – *Entreé!*, ond fel roedd y Gweinidog yn camu allan o'r porth i'r cyntedd caeodd yn glep wedyn gan gydio yng ngwar ei anorac a'i ddal yn garcharor. Wedi tynnu a throsi, fel ci wrth dennyn, llwyddodd Eilir i gyrraedd y rhes botymau oedd ar y post oddi mewn ac ailbwyso y rhifau angenrheidiol i'w agor. *Sortie*, sibrydodd y drws drachefn a gollwng ei afael yn y Gweinidog, fel cath yn gollwng llygoden wedi iddi hi'i llibindio hi'n ddigonol. Sut ar y ddaear roedd hi'n ddynol bosibl i bobl wedi pasio 'oed yr addewid' – a phobl felly, yn bennaf, oedd tenantiaid y *Siesta* – fynd i mewn ac allan o'r adeilad heb gael eu llofruddio yn y fan a'r lle? Roedd hynny'n fawr ddirgelwch.

Cafodd beth trafferth gyda drws Fflat 2. Wedi canu'r gloch am y waith gyntaf ni chafodd unrhyw ymateb a thybiodd, am eiliad, fod Miss Elisabeth Ambrose wedi picio allan i siopio neu i weld ei brawd. Canodd y gloch eilwaith ac wedi moment o ddistawrwydd llwyr dyma sŵn traed trymion yn trotian yn ôl a blaen ar hyd y lloriau, yna, drysau'n cael eu hagor a'u cau yn gyflym a chi yn cipial cyfarth. Wedi blynyddoedd yn y weinidogaeth, gwyddai Eilir yn dda beth oedd gorfod sefyllian ar garreg drws tra byddai rhai o'r aelodau yr ymwelai â hwy – wedi iddyn nhw sylweddoli mai'r Gweinidog oedd wrth y porth – yn cuddio olion pechodau cuddiedig ond go brin fod gan Miss Ambrose, o Eglwys y Brodyr Efengylaidd Cyfyng-edig, sgerbydau i'w gwthio i gypyrddau.

Daeth Miss Ambrose i'r drws yn bum troedfedd o wlân Cymreig, fel erioed, serch y gwres canolog, ac yn edrych fymryn yn gynhyrfus.

'A! Mistyr Thomas, fy ngweinidog newydd i, wedi galw i edrach amdana' i. Mae'n hyfryd eich gweld chi.'

Ond teimlai Eilir fod y gwrid oedd ar ei hwyneb a byrdra ei hanadl yn awgrymu nad oedd hynny'n hollol wir.

'Ydach chi am ddŵad i mewn, Mistyr Thomas, ne' fydda'n well gynnoch chi alw i 'ngweld i rywbryd eto, wedi'r Nadolig deudwch?'

Gan mai hi oedd wedi'i gymell i alw a'i fod yntau wedi aberthu pnawn ar gyfer y gwaith penderfynodd dderbyn yr hanner-cynnig. 'Mi ddo' i i mewn am funud, Miss Ambrose, os medra' i gamu dros y ci 'ma,' gan gyfeirio at y mymryn *pekinese* a chwyrnai yn ei wddf gan ddangos pinnau o ddan-nedd miniog.

'Ma' Aneirin yn ddigon diniwad, Mistyr Thomas, ond 'dydi

o ddim yn ffond iawn o ddynion. Mwy na minnau o ran hynny. 'Steddwch!'

Eisteddodd hithau ar flaen cadair gyferbyn ag o.

'"Aneirin"? Enw go anarferol ar gi?'

'O barch i **Ganu Aneirin**, Mistyr Thomas.'

'Wela' i.'

'Barddoniaeth y Chweched Ganrif oedd fy mwyd a'm diod i yn y wlad bell.'

'Tewch chithau.'

'Hynny a diwinyddiaeth,' ac arwain llygaid y Gweinidog â'i llaw i gyfeiriad silff foliog o hen glasuron defosiynol a adbrintiwyd.

'Gwaith Spurgeon a Mathew Henry.'

'Ia, Mistyr Thomas, heb anghofio **Rheol Buchedd Sanctaidd**, Ellis Wynne ac **Yr Ymarfer o Dduwioldeb**, Charles Edwards. Be' ydi'ch diwinyddiaeth chi, os ca' i fod mor hy' â gofyn?'

'Holi pa lwybr ydw' i'n 'i gerddad yn ddiwinyddol ydach chi?'

'Ia.'

'Canol y ffordd, mae'n debyg.'

'Biti!'

'Pam ydach chi'n deud hynny?'

'Roedd Eglwys yr *Exclusive Brethren* yn *Kidderminster* yn geidwadol ddiogel ac yn rhoi canllawiau moesol cadarn i'w haelodau. Mae o'n friw i'r llygad, Mistyr Thomas, i mi weld cyplau ifanc yn caru'n agored ar strydoedd fy hen dre' annwyl i, yn wyneb haul, llygad goleuni.'

'Hwyrach bod hynny'n iachach, cofiwch, na bod y peth yn digwydd y tu ôl i ddrysau cloëdig.'

'Wel, mi fydda'r *Brethren* yn esgymuno am bechodau cyhoeddus. Ga' i wneud 'panad sydyn o goffi i chi, Mistyr Thomas, a mins-pei fach?'

Roedd Elisabeth Ambrose, serch ei phendantrwydd barn, yn dal yn anniddig, anghyfforddus.

'Fydda' i ddim yn b'yta ac yfad yn nhai'r aelodau ganol pnawn fel rheol, ond gan ma' dyma'r tro cynta' i mi alw yma mi dderbynia' i'ch cynnig caredig chi. Diolch i chi, Miss Ambrose.'

Cyn bod y Gweinidog wedi rhoi'r ordor, bron, roedd hi wedi trotian am gyfeiriad y gegin ac yn dechrau ar y coffi.

'Fydda' i ddim eiliad. Mae yn'a gopi o'r **Bardd Cwsc** ar y bwrdd bach o'ch blaen chi os hoffech chi gael golwg arno fo.'

'Diolch,' a gadael Gweledigaethau Ellis Wynne lle roeddan nhw.

Yn y distawrwydd tybiai Eilir ei fod o'n clywed sŵn llygoden yn symera yn y wardrob, oedd ar y pared gyferbyn, ond gwyddai mai dychmygu roedd o.

'Coffi du 'ta gwyn, Mistyr Thomas?'

'Hannar yn hannar, os ydi hynny'n hwylus i chi.'

Cododd sŵn tuchan o berfedd y wardrob, fel petai rhyw druan yn cael trafferth i anadlu, a dechreuodd Aneirin gyrlio'i wefus uchaf yn rhybuddiol. 'Doedd yr amgylchiadau ddim yn rhai normal, a dweud y lleiaf.

'Fyddwch chi angan llwya'd o siwgr yn ych coffi, Mistyr Thomas?'

'Dwy, os gwelwch chi'n dda.'

'Lisi!' meddai'r wardrob gan ddechrau siglo'n benfeddw. Yr eiliad nesaf roedd **Taith y Pererin** – un clawr lledr a chlaspiau aur iddo – yn araf lithro o'i phen a'r foment wedyn daeth y wardrob i lawr i'w ganlyn a sefyll ar ei thalcen. Neidiodd y Gweinidog o'i gadair a rhoddodd y *Pekinese* lam tuag yn ôl, eiliad union cyn iddo gael ei ymestyn yn gi sosej, a chiliodd am y gegin i lyfu'i glwyfau.

Fel roedd Miss Ambrose yn camu o'r gegin i'r ystafell fyw, wedi clywed yr ergyd – hambwrdd o dan ei gên ac arno ddwy gwpanaid o goffi chwilboeth a dwy fins-pei – syrthiodd drws y wardrob yn agored a chododd John Wyn ar ei eistedd, fel un atgyfodedig mewn arch, â sgert wlân ar draws ei war.

'Pnawn braf, Mistyr Thomas,' meddai'n siriol, fel petai bod

mewn wardrob ganol pnawn yn hobi wythnosol ganddo ac yn ddigwyddiad cwbl naturiol. 'Ydi Musus Thomas mewn iechyd?'

Roedd y Gweinidog wedi cael gormod braw i feddwl am iechyd ei wraig. 'Ydach **chi** yn iawn, John Wyn, dyna'r cwestiwn?'

'Dw' i'n dda iawn, diolch i chi, ar wahân i ychydig o annwyd.'

'Arhoswch chi yn y wardrob, Jac,' meddai Miss Ambrose yn dyner, 'i sadio tipyn. Mi a' innau i'r gegin i chwilio am rwbath i'ch helpu chi i ddŵad dros y sioc. 'Stynnwch chithau at y coffi, Mistyr Thomas, tra bydda' i.'

Wedi cael cefn Miss Ambrose trodd John Wyn at ei Weinidog a sibrwd, 'Sawl gwaith dw' i wedi gofyn i Elisabeth hongian 'i phethau ar hangars, yn deidi. Fy nhraed i aeth yn sownd mewn rhyw flwmar o'i heiddo hi ac mi gollis fy malans,' ond heb gynnig datgelu pam roedd o yn y wardrob yn y lle cyntaf.

Ymhen hir a hwyr daeth Miss Ambrose yn ei hôl â fflasg fechan o frandi yn ei llaw. 'Ddrwg gin i fod gyhyd, ffrindiau.'

Gwenodd Eilir wrth weld Ysgrifennydd Capel y Cei yn llowcio'r brandi o ddwylo Elisabeth Ambrose, fel rhyw oen llywaeth yn cael ei fagu ar botel. Petai ganddo gynffon diau y byddai'n ei siglo.

Wedi cael John Wyn o'r wardrob a'i roi i eistedd ar gadair uchel tybiodd Eilir y byddai'n well iddo ymadael yn hytrach nag achosi rhagor o embaras i'r ddau.

'Dw' i am 'i throi hi rŵan, gyfeillion. Mi alwa' i yma eto Miss Ambrose, ar amsar llai . . . m . . . helbulus yn ych hanas chi.'

'Diolch i chi.'

'Ac os ydi popeth yn iawn hefo chi, mi ga' i'ch croesawu chi fel aelod yng Nghapal y Cei Sul cynta'r flwyddyn newydd.'

'Rydach chi'n fwy na charedig, Mistyr Thomas. Diolch i chi.'

Pan oedd Eilir yn troi i ymadael dyma John Wyn yn gwneud cais, 'Taswn i yn medru perswadio'r Blaenoriaid, ddechrau'r flwyddyn 'ma, i roi 'chydig bach mwy o bres pocad i chi fasach chithau'n fodlon cadw stori'r wardrob o dan glust ych cap? Ofn s'gin i, Mistyr Thomas, i'r hanas fynd i'r papur newydd a fasa'r to hyna' o'r aelodau ddim yn dallt.'

Ffromodd y Gweinidog. Gallai gadw cyfrinachau heb yr abwyd o gael ei lwgrwobrwyo.

''Dydi hi ddim yn fy natur, Mistyr Wyn, i fradychu cyfrinach. A pheth arall, ma' cadw cyfrinachau yn rhan o fy ngwaith i fel gweinidog.'

Wedi cael y sicrwydd y byddai'i groen yn iach adfeddiannodd John Wyn ei hen anian a throi i fod y cingroen arferol. 'Dyna ni 'ta, mi fydd hynny yn llawar rhatach i ni fel Eglwys. Diolch i chi.'

Gan ei bod hi'n dymor ewyllys da, roedd Eilir wedi hanner meddwl rhoi help llaw i'r ddau ailgodi'r wardrob ond, wedi gwrando sylwadau John Wyn cafodd y diafol y llaw uchaf arno a phenderfynodd beidio â chynnig cymorth. Ond o roi addewid i gadw cyfrinach, yna, roedd hi'n deg iddo gael gwybod beth yn union oedd y gyfrinach y gofynnid iddo'i chadw.

'Fedrwch chi, John Wyn, ddeud wrtha' i pam roeddach chi mewn wardrob yn fflat Miss Ambrose ganol pnawn?'

Fe gymrodd hi eiliad neu ddau i'r Ysgrifennydd goinio ateb. ''C'ofn bod yna bryfaid yn'i hi.'

'Wel, pam cau'r drysau o'ch ôl 'ta?'

''C'ofn i'r pryfaid ddengid.'

'Fedrwch chi, Miss Ambrose, gadarnhau hynny?'

'Y cwbl fedra' i wneud, Mistyr Thomas, ydi dyfynnu o **Ganu Aneirin** – "A gwedi elwch tawelwch fu!"'

'Sut?'

'Y "Gododdin", Mistyr Thomas. Pnawn da i chi rŵan!'

* * *

'Nesa'!'

Camodd y Gweinidog i gadair y barbwr.

'*Short back an' sides*, Mistyr Thomas, fel arfar?'

'Diolch i chi.'

''Dydi hi'n fora *beautiful*.'

Yn *Siswrn Cecil's Scissors* yn Stryd Samson y byddai Gweinidog Capel y Cei a'r Capel Sinc yn torri'i wallt a hynny mor anfynych â phosibl. Ychydig o ddynion a fynychai'r parlwr hwnnw – y sentiach a'r shampws yn eu pellhau, mae'n debyg – ond gan fod Cecil yn flaenor cefnogol a defosiynol yng Nghapel y Cei roedd yn rhaid i Eilir ganu 'pennill mwyn i'w nain' yn y gobaith y byddai ei nain yn canu pennill iddo yntau.

Fodd bynnag, anfynych, y dyddiau hyn, y byddai Cecil ei hun yn ei barlwr. Roedd ganddo sawl busnes arall yn y dref. Y bore hwn fodd bynnag – oherwydd prysurdeb y Nadolig mae'n debyg – roedd o'n holl bresennol. Cerddai yn ôl a blaen gan daflu cyngor i hon a lluchio awgrym caredig i un arall.

'Hayley, cariad,' wrth un o'r lleng morynion oedd ganddo, 'cofiwch roi'r *wet look* i Miss Bersham, ma'i gwallt hi'n anarferol o sych.'

Yna, trotian i roi croeso i un arall o'i gwsmeriaid ffyddlon, 'A! Musus Lewis-Ellis. Bora da i chi. *Feminine crop, as usual?* 'Neith Rosaleen edrach ar eich ôl chi, siwgr.'

Aros ei dwrn yn gwrando ar y mân breblach oedd y baich pennaf ar ysbryd y Gweinidog ac ni bu'r bore hwn yn eithriad.

'Mistyr Thomas, chi sy' 'na?' meddai'r wraig a ddaeth i stemio wrth ei ochr gyda thywel gwyn yn dwrban gylch ei phen.

Arogl pysgod a wnaeth iddo dybio mai Doris neu Dora, 'doedd o byth yn siŵr p'run, Siop Glywsoch chi Hon oedd yn arogldarthu wrth ei ysgwydd.

'Bora da, Doris.'

'Dora dw' i.'
'Mae'n ddrwg gin i.'
'Yma byddwch chithau'n ca'l g'neud ych gwallt?'
'Ia.'
'Lle bach drud,' sibrydodd.
'Ydi, debyg.'
'Heblaw ma' cyflogau gweinidogion a bellu wedi gwella llawar fel byddan nhw.'
'Ma' byd pawb ohonon ni wedi gwella, Dora . . . m . . . Doris.'
''Dach chi yn mynd i ga'l pyrm, Mistyr Thomas?'
'Rhy ddrud.' Ond welodd hi mo'r ergyd.
'Richard Lewis, hen w'nidog Capal y Cei, 'dach chi'n 'i gofio fo?'
'Nagydw.'
'Hefo injian llaw y bydda' fo'n ca'l torri'i wallt.'
'Felly!'
'A 'nhad fydda'n g'neud y job iddo fo. Ac mi fydda' nhad yn rhoi pennog wedi mynd yn hen iddo fo, i fynd adra, yn bresant i'w wraig.'
'Fuo 'i wraig o fyw yn hir?'
'Ar 'i ôl o, flynyddoedd. Fydda' Musus Lewis yn enjoio'r pennog. Y . . . biti am John Gwich.'
'Sut?'
'Wrth gwrs John Wyn fyddwch chi'n ddeud tua'r capal 'na, mae'n debyg. Acw bydd o'n ca'l 'i bysgod.'
'Ydi o ddim yn dda ne' rwbath?'
'Be' 'dach chi ddim wedi clywad?'
'Nag'dw.'
'Well i mi beidio â deud dim 'ta. Pan 'dach chi mewn busnas, taw piau hi.'
'Dora Pysgod!' gwaeddodd un o'r genod.
'Well i mi fynd rŵan, i mi ga'l sychu 'ngwallt cyn cinio.' Ac wrth godi, 'Ma' John Wyn yn dal yn flaenor 'tydi?'
'Y fo ydi Ysgrifennydd yr Eglwys.'

'Ffansi. Ma'ch gwaith chithau'n ddigon anodd. Bora da rŵan.'

'Bora da, Doris.'

'Dora! Os gwelwch chi'n dda.'

'Ma'n ddrwg gin i.'

Pan oedd 'Glywsoch Chi Hon?' yn ymadael daeth Daisy, gweddw'r diweddar Derlwyn Hughes heibio, ar ei ffordd allan, yn baent, yn bowdr ac yn berlau i gyd.

'Bora da, Mistyr Thomas. Pwy fyth fasa'n meddwl ych gweld chi yn fa'ma ynghanol yr holl ferchaid 'ma?'

'Ceinwen yn deud bod 'y ngwallt i'n flêr ac yn mynnu 'mod i'n ca'l 'i dorri o cyn y Dolig.'

'Ma'ch gwallt chi, Mistyr Thomas bach, yn ddigon o sioe bob amsar.' Tynnodd fymryn o hances ffansi o'i bag llaw a chwythu'i thrwyn yn boleit, 'Blwyddyn i rŵan y buo Der farw.'

'Oes yna flwyddyn wedi treiglo?'

'Dyna pam rydw' i'n dal mewn mowrning. Heblaw, mi ga' i wisgo rwbath bach 'sgafnach at ddechrau'r flwyddyn. Fasa' marŵn yn gweddu i mi, Mistyr Thomas?'

'Fasa' i'r dim i chi,' yn gwbl ddi-ddiddordeb ac yn gwybod y lleiaf peth am natur lliwiau.

Plygodd Daisy ymlaen a mygu'r Gweinidog yn ei mynwes. ''Dydi hi'n drueni am John Wyn, Mistyr Thomas, yn 'i oed o?'

'Ydi, mae'n debyg.'

'Fedar o ddal y straen, dyna sy' ar fy meddwl i.'

Am foment tybiodd Eilir fod John Wyn, fel y Cynghorydd Derlwyn Hughes o'i flaen, wedi cyfarfod â'i ddiwedd yn llofft y *Lingerie Womenswear* ac ym mreichiau cryfion Dwynwen Lightfoot ond go brin fod mellten yn medru taro yr un fan ddwywaith.

'Er nag ydw' i ddim yn hollol siŵr pa brofedigaeth sy' wedi dod i'w ran o 'chwaith.'

'O! 'Dach chi ddim wedi clywad yr hanas?'

'Ddim yn llawn.'

'Wel, mi ddeuda' i wrthach chi. Fel y gwyddoch chi . . .'
'Nesa'!'
'Y chi ydi'r nesa', Mistyr Thomas. Ylwch, mi'ch gwela' i chi eto, i chi ga'l rhagor o'r hanas.'

'Mistyr Thomas, siwgr, y tro yma dw' i am roi *zigzag parting* i chi.'
'Am roi be' i mi?'
'Ma'ch gwallt chi, cariad, fel 'tasa rhywun wedi'i agor o hefo rhaw – un llinell wen, hir, syth, o'r talcian i'r corun – *most* hen ffasiwn. Wedi i mi roi'r *ruffle look* i chi, mi fyddwch fel hogyn ysgol unwaith eto.'
'Iawn, Cecil, cyn bellad ag y bydd gin cynulleidfa'r Sul fwy o ddiddordab yn yr hyn fydd gin i i' ddeud nag mewn rhythu ar 'y mhen i.'
'Mistyr Thomas bach, fasach chi'n pregethu fel angal, hyd yn oed 'tasach chi mewn wig. Gyda llaw, 'dach chi 'rioed wedi meddwl am beth felly? Mi fedra' i werthu . . .'
'Ddim diolch yn fawr i chi, Cecil.'
'Jasmine, cariad,' gwaeddodd ar un arall o'i harîm, 'pasia'r *detangler* i mi, ma' gwallt 'y ngweinidog annwyl i fel nyth cigfran . . . Thenciw.'
Wedi rhai eiliadau o dorri gwallt celfydd, brysiog, a Cecil yn hel clecs i gyfeiliant ei siswrn, penderfynodd Eilir fynd i lygad y ffynnon i gael yr holl wir am y drasiedi a ddaeth i ran Ysgrifennydd Capel y Cei: os am wybod ymhle yn y Beibl i gael hyd i adnod arbennig troi i Fynegair *Cruden's*; os am wybod y sgandal olaf i daro Porth yr Aur, yna, troi i *Siswrn Cecil's Scissors*.
Penderfynodd godi'r peth yn gynnil ac ar ddiarth. 'Ydach chi wedi gweld Mistyr John Wyn yn ddiweddar?'
Peidiodd clipiadau'r siswrn yn y fan. 'Ac ma'r hanas wedi'ch cyrraedd chi.'
'Hanas, Cecil? Pa hanas?'
''Dach chi ddim wedi clywad, Mistyr Thomas?'

'Clywad be'?'

'Well i mi beidio â deud dim 'ta. *Mum's the word*, fel ma'r Beibl yn deud.'

'Beibl?'

Plygodd Cecil ymlaen dros ysgwydd y Gweinidog a sibrwd yn ei glust, 'Ond mi rydw' i **yn** gw'bod stori'r wardrob.'

'O?'

'Y fi aeth i fyny i'r fflat at Miss Ambrose i' chodi hi. Dyna chi satan drom, Mistyr Thomas.'

'Miss Ambrose?' yn ddiniweidrwydd i gyd, am unwaith.

Cymrodd Cecil ei wynt ato i ddangos ei ddiflastod gyda thwpdra'r Gweinidog. '*Y wardrob, if you please. Solid oak*, Mistyr Thomas – fel Miss Ambrose 'i hun o ran hynny. Mymryn bach o *gel* ar y gwallt, cariad, ac mi fydd y driniaeth drosodd. Ac mi fyddwch yn edrach mor ifanc fel na fydd neb yn eich 'nabod chi,' a rhwbio pen y Gweinidog yn y modd mwyaf cynddeiriog posibl.

Wedi cribo'r gwallt, lawer gwaith trosodd, tynnodd Cecil y brat oddi am wddf Eilir ac yna brwsio ymaith y manflew oedd yn mynnu dianc rhwng ei grys a'i groen o.

'Degpunt, os gwelwch chi'n dda.'

'Degpunt! Ond fydda' i ddim yn talu . . .'

Â llaw feinwen arweiniwyd llygaid y Gweinidog at y deg gorchymyn a hoeliwyd ar y pared gyferbyn, a'r ysgrifen mewn coch trwm. 'Ma' newid y steil, yn anffodus, siwgr, yn golygu dyblu'r pris. Ac mi fasa'r damej yn ddeuddag, oni bai 'i bod hi'n Ddolig.'

Tynnodd Eilir bapur degpunt o'i law a'i roi yn llaw y torrwr gwalltiau. 'Gewch chi gadw'r newid.'

Daliwyd Cecil, am foment. 'Newid, cariad?' Yna, gwelodd gyfeiriad yr ergyd, ''Dach chi'n rêl rôg bach, Mistyr Thomas, yn tynnu 'nghoes i, o hyd ac o hyd,' a dal llaw y Gweinidog rhwng ei ddwylo am amser hir ac yn anghyfforddus o dynn. 'Cariad, 'dach chi ddim yr un un. *Not the same one*.'

Penderfynodd Eilir roi un cynnig arall ar gael gwybod y

gwir. 'Roeddach chi'n cyfeirio gynnau at Mistyr Wyn. Wel, be' yn union . . .?' ond roedd Cecil wedi dawnsio i ben arall ei barlwr erbyn hynny ac yn hel dail gydag un arall o'i gwsmeriaid gwerthfawr, 'Y "*Bardotesque*" look fasa'n eich siwtio chi, Lobelia, cariad. 'Dydi hi'n fora *beautiful*.'

Gwir y gair, 'doedd Gweinidog Capel y Cei ddim yr un un. Wedi iddo fynd allan i'r stryd fe'i pasiwyd gan ei wraig ei hun heb iddi'i adnabod o. Roedd hi o dan yr argraff iddi weld ei ddwbl – y boi amheus hwnnw o ardal y cei a ddeuai heibio'n fisol i lanhau ffenestri'r Mans ac a dueddai i fynd yn ffres hefo hi.

'Ceinwen!'

'Ia?' yn reit siarp.

'S'mai?'

'Ma'r ffenestri yn iawn fel ma' nhw, diolch i chi.'

'Y fi ydw' i.'

'Y?'

'Eilir. Fi sy' 'ma.'

'Bobol!'

* * *

Y nos Iau ganlynol Ceinwen a enillodd y ras at y twll llythyrau. Roedd rhifyn y Nadolig o'r Porth yr Aur *Advertiser* wedi cyrraedd. Clywodd y ddau'r celwyddgi yn disgyn yn ysgafn ar lawr teils y cyntedd a dyma'r ddau'n ei gloywi hi am y drws ffrynt ond Ceinwen, fel arfer, a gafodd y blaen.

Dychwelodd y ddau i'w cadeiriau ac ailgydiodd Eilir yng nghroesair y papur dyddiol. Bu tawelwch trwm am rai munudau, Ceinwen yn darllen y papur ac Eilir yn ymgodymu â chliw rhif deg, ar draws.

'Cein, fedri di feddwl am enw canwr roc, deg llythyren?'

'Be' am "Eilir Thomas"?' gan daflu cip chwareus i gyfeiriad gwallt ei gŵr.

Gwylltiodd y Gweinidog. 'Ma' hi'n ddigon i mi fod yn gyff

gwawd i'r cyhoedd, ac i blant y Capal Sinc, heb ga'l fy "nghlwyfo yn nhŷ fy ngharedigion".'

Trodd Ceinwen dudalen arall o'r papur, 'Eil! Yli be' sy'n fa'ma.'

'Fedra' i ddim yn hawdd weld be' sy'n fan'na a finnau heb y papur.'

'"Digwyddiad Annisgwyl", ydi'r pennawd. "Ar drothwy'r Nadolig" . . .'

'Cein, mi fedra' i ddarllan fy hun.'

'Un sâl am wrando wyt ti 'te,' ac ailddechrau arni '. . . "yng Nghapel y Brodyr Efengylaidd Cyfyngedig, *Kidderminster*, unwyd mewn glân briodas" . . .'

'Be'?' a gollwng y croesair fel taten boeth.

'Ro'n i'n meddwl nad oeddat ti ddim am i mi ddarllan i ti.'

'Mae yna eithriadau.'

'. . . "unwyd mewn glân briodas, Miss Elisabeth Ambrose, gynt o'r dref honno, a Mistyr John H. Wyn, Sŵn y Storm, Porth yr Aur" . . .'

'Yr hen gena' iddo fo.'

'Ma' gin pawb hawl i briodi, Eil.'

'Darllan y gweddill.'

'. . . "Gwisgai Miss Ambrose gostiwm glas tywyll o wlân Cymreig a Mistyr Wyn gôt gynffon fain a het i gydweddu. Y gwas oedd Mistyr Huw Ambrose, brawd y briodferch, deintydd lleol, a'r forwyn oedd Miss Ann Wyn, chwaer y priodfab.'

'Wel, ar f'enaid i!'

'". . . Fe'i rhoddwyd ymaith gan Mistyr Cecil Humphreys, perchennog y *Siswrn Cecil's Scissors*, cyfaill agos i'r ddeuddyn hapus ac i nifer o drigolion Porth yr Aur" . . .'

'Y sinach iddo fo.'

'Be'?'

''Dydi'r dwlal ddim yn gyfaill i mi.'

'Dydi'r papur 'ma ddim yn deud hynny a 's'dim isio mynd i sterics, nagoes?'

'Ddim yn yngan gair wrtha' i.'

'. . . "Treuliodd Miss Elisabeth Ambrose chwarter canrif yn brifathrawes Ysgol y Santes Siarlot, ysgol breifat i ferched, ar gyrion *Kidderminster*. Arwyddair yr ysgol honno yw – 'Eich pechodau a wneir yn hysbys'".'

'Biti na fasan nhw wedi clywad am y sgerbwd yn y cwpwrdd cyn bathu'r arwyddair.'

'. . . "Treulir y mis mêl yn crwydro Deheudir yr Alban, ardal y Gododdin gynt, a deellir eu bod wedi mynd ag Aneirin, ci Musus Wyn (fel y dymuna hi gael ei hadnabod o hyn ymlaen) yno i'w canlyn".'

'Gobeithio na ddaw 'na yr un wardrob i lawr ar gefn y peth bach.'

'Ma' isio maddau, Eilir Thomas. Ac ma' hi'n dymor ewyllys da.'

''Tasa'r Efengylwyr Cyfyngedig yn *Kidderminster* ddim ond yn gw'bod am saga'r wardrob.'

Taflodd y papur newydd i'w gyfeiriad, 'Yli, darllan y peth ac mi a' i i 'neud panad o goffi i ti.'

'Fydd yn help i mi ddŵad dros y sioc.'

Cododd Ceinwen a chychwyn cerdded am y drws, 'Fel'na baswn innau'n lecio priodi'r tro nesa'.'

'Be', yn *Kidderminster*?'

'Yn gyfrinachol.'

'Hefo pwy?'

'Matar i mi ydi hynny.'

'Hefo'r boi 'llnau ffenestri hwnnw?'

'Gan dy fod ti'n mynnu gw'bod, ia.'

'O! Pam hwnnw?'

'Well gin i steil 'i wallt o, yn un peth.'

'Cein!' gwaeddodd, pan oedd hi **yn** gadael yr ystafell.

'Ia?'

'Ga' i gitâr yn bresant Dolig?'

CYFRES CARREG BOETH

Pregethwr Mewn Het Person
Hufen a Moch Bach
Buwch a Ffansi Mul
Babi a Mwnci Pric
Dail Te a Motolwynion
Ffydd a Ffeiar-Brigêd

CYFRES PORTH YR AUR

Cit-Cat a Gwin Riwbob
Bwci a Bedydd
Howarth a Jac Black
(i'w gyhoeddi)